麦《むぎ》ばあの島《しま》

MUGIBAA no SHIMA

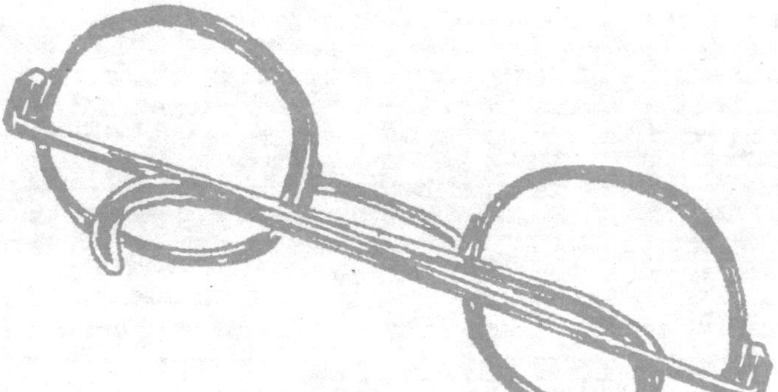

2

麦ばあの島

第2巻

古林海月《ふるばやしかいげつ》 著者

鹿児島県生《かごしまけんう》まれ。2003年《ねん》「夏《なつ》に降《ふ》る雪《ゆき》」で『イブニング』からデビュー。著作《ちょさく》に『米吐《こめは》き娘《むすめ》』シリーズ、『わたし、公僕《こうぼく》でがんばってました。』(いずれもKindle版《ばん》)などがある。
公務員時代《こうむいんじだい》に仕事《しごと》でハンセン病療養所《びょうりょうようじょ》・邑久光明園《おくこうみょうえん》を訪問《ほうもん》。その後《ご》も入所者《にゅうしょしゃ》・退所者《たいしょしゃ》らと交流《こうりゅう》を重《かさ》ねながら本作《ほんさく》の執筆《しっぴつ》をつづけてきた。

登場人物《とうじょうじんぶつ》

小林聡子《こばやしさとこ》
短大生《たんだいせい》。麦《むぎ》と出会《であ》い、投《な》げやりな生《い》き方《かた》を改《あらた》めるようになる。

しおり
聡子《さとこ》の腹違《はらちが》いの姉《あね》でよき理解者《りかいしゃ》。教職《きょうしょく》のかたわら、ひそかに不妊治療中《ふにんちりょうちゅう》。

千代《ちよ》（本名《ほんみょう》：はる）
麦《むぎ》の療友《りょうゆう》。小倉出身《こくらしゅっしん》。幼《おさな》い時《とき》から療養所《りょうようじょ》にいる。

上原麦《うえはらむぎ》
大正《たいしょう》12年《ねん》生《う》まれ。病気《びょうき》の後遺症《こういしょう》で右手《みぎて》が麻痺変形《まひへんけい》しているが、現役《げんえき》の理容師《りようし》。

美代《みよ》
千代《ちよ》の妹《いもうと》。

川畑鉄次《かわばたてつじ》
千代《ちよ》の父《ちち》。

恵子《けいこ》（本名《ほんみょう》：桂子《けいこ》）
麦《むぎ》の療友《りょうゆう》。京都出身《きょうとしゅっしん》。目《め》が見《み》えない。

千代《ちよ》の母《はは》

千代《ちよ》の弟《おとうと》

ヨネ
麦《むぎ》の姉《あね》。

大石了太《おおいしりょうた》（本名《ほんみょう》：良太《りょうた》）
麦《むぎ》の夫《おっと》。

三井医師《みついいし》

【邑久光明園《おくこうみょうえん》とは】

一九〇七（明治《めいじ》四〇）年《ねん》に公布《こうふ》された法律《ほうりつ》にもとづき、大阪《おおさか》府《ふ》西成郡《にしなりぐん》川北村《かわきたむら》に国立療養所《こくりつりょうようじょ》邑《お》久光明園《くこうみょうえん》の前身《ぜんしん》である外島《そとじま》保養院《ほよういん》は開《ひら》かれました。当時《とうじ》の外島《そとじま》は二キロ四方《しほう》に人家《じんか》はなく、川《かわ》と海《うみ》に囲《かこ》まれていました。一九三四（昭和《しょうわ》九）年《ねん》九月《がつ》二一日朝《にちあさ》、室戸《むろと》台風《たいふう》が上陸《じょうりく》し高潮《たかしお》が押《お》し寄《よ》せ、海抜《かいばつ》ゼロメートル地帯《ちたい》に位置《いち》していた外島《そとじま》保養院《ほよういん》は壊滅的《かいめつてき》な被害《ひがい》を受《う》けました。生《い》き残《のこ》った入院者《にゅういんしゃ》たち四一六名《めい》（全入院者《ぜんにゅういんしゃ》の約《やく》七割《わり》）は各地《かくち》のハンセン病療養所《びょうりょうようじょ》へ委託《いたく》されました。

外島《そとじま》保養院《ほよういん》再建《さいけん》の動《うご》きはすぐにはじまりましたが、候補地《こうほち》の反対運動《はんたいうんどう》ははげしいものでした。う余曲折《よきょくせつ》の末《すえ》、すでに長島愛生園《ながしまあいせいえん》がある岡山県《おかやまけん》邑久郡《おくぐん》裳掛村《もかけむら》（現《げん》・瀬戸内市《せとうちし》邑久町《おくちょう》）の長島《ながしま》に移転先《いてんさき》は決《き》まり、第三区府県立《だいさんくふけんりつ》邑久光明園《おくこうみょうえん》として再出発《さいしゅっぱつ》したのは一九三八（昭和《しょうわ》一三）年《ねん》のことでした。外島《そとじま》保養院《ほよういん》では「相愛互助《そうあいごじょ》」の理念《りねん》のもとに、入院者《にゅういんしゃ》による自治会活動《じちかいかつどう》が行《おこな》われていました。新《あら》たな地《ち》である邑久光明園《おくこうみょうえん》でも自治会《じちかい》が結成《けっせい》され、売店経営《ばいてんけいえい》や園内作業《えんないさぎょう》の賃金交渉《ちんぎんこうしょう》などを行《おこな》い、入所者自身《にゅうしょしゃじしん》の手《て》でよりよい環境《かんきょう》をつくるために働《はたら》きかけました。

戦後《せんご》の入所者自治会《にゅうしょしゃじちかい》は所内《しょない》だけでなく、県《けん》や国《くに》との交渉《こうしょう》にもあたりました。邑久光明園《おくこうみょうえん》、長島《ながしま》愛生園《あいせいえん》がある長島《ながしま》と対岸《たいがん》の虫明《むしあげ》の間《あいだ》はわずか三〇メートルしかありません。目《め》と鼻《はな》の先《さき》のこの距離《きょり》でも、長《なが》い間《あいだ》、船《ふね》を使《つか》って往来《おうらい》していました。ようやく一九六〇年代後半《ねんだいこうはん》から橋《はし》を架《か》けるための話《はな》し合《あ》いがふたつの療養所《りょうようじょ》の入所者自治会《にゅうしょしゃじちかい》ではじまりました。関係《かんけい》するさまざまな機関《きかん》との交渉《こうしょう》が実《みの》り、「人間回復《にんげんかいふく》の橋《はし》」と呼《よ》ばれる邑久長島大橋《おくながしまおおはし》が本土《ほんど》と長島《ながしま》の間《あいだ》に架《か》かったのは一九八八（昭和《しょうわ》六三）年《ねん》のことでした。

二〇一七（平成《へいせい》二九）年《ねん》八月末現在《がつまつげんざい》も一〇七人《にん》の入所者《にゅうしょしゃ》が邑久光明園《おくこうみょうえん》に暮《く》らしています。本書《ほんしょ》『麦《むぎ》ばあの島《しま》』の登場人物《とうじょうじんぶつ》たちはいずれも架空《かくう》のものですが、光明園《こうみょうえん》の人々《ひとびと》のさまざまな経験《けいけん》をもとに描《えが》かれています。

第《だい》8話《わ》
聡子《さとこ》のカップ

ピンポーン
ガチャ
お姉《ねえ》ちゃん！
麦《むぎ》ばあがさ
殺《ころ》したって言《い》うんよ
……とりあえず中《なか》で話《はなし》を聞《き》こうか
お義兄《にい》さんこんばんは
しっしっ
やあいらっしゃい
そう……麦《むぎ》さんがそんな話《はなし》を
カチャ

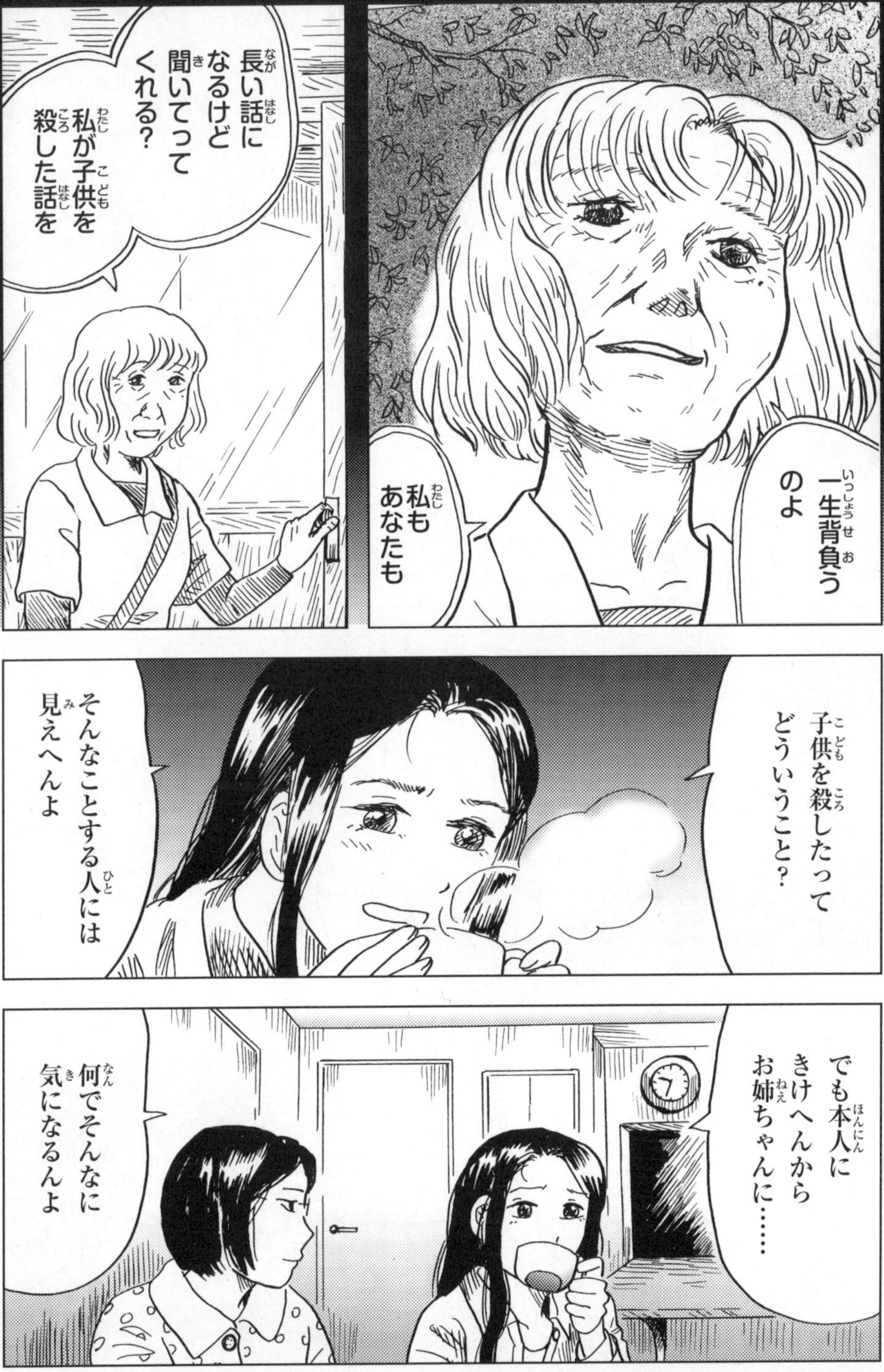
一生《いっしょう》背《せ》負《お》うのよ
私《わたし》もあなたも
長《なが》い話《はなし》になるけど聞《き》いてってくれる?
私《わたし》が子供《こども》を殺《ころ》した話《はなし》を
子供《こども》を殺《ころ》したってどういうこと?
そんなことする人《ひと》には見《み》えへんよ
でも本人《ほんにん》にきけへんからお姉《ねえ》ちゃんに……
何《なん》でそんなに気《き》になるんよ

ひとごとに思《おも》えへんの
麦《むぎ》ばあもこの位《くらい》の水子地蔵《みずこじぞう》を持《も》ってたから
麦《むぎ》ばあ「も」って
聡子《さとこ》のは手術《しゅじゅつ》の後《あと》すぐ捨《す》てちゃったでしょ
う……うん
好《す》きで子供《こども》を堕《お》ろしたわけじゃないよ
私《わたし》も……きっと麦《むぎ》ばあも
痛《いた》い目《め》に遭《あ》った被害者《ひがいしゃ》だよ
なのに何《なん》で女《おんな》だけ罪《つみ》の意識《いしき》を持《も》たなきゃなんないの

それでも罪《つみ》の意識《いしき》を持《も》ってしまうのが
母親《ははおや》ってもんなの！
――って本《ほん》で読《よ》んだのよ
この病気《びょうき》は感染力《かんせんりょく》が弱《よわ》くて薬《くすり》で治《なお》るって
医学《いがく》が発達《はったつ》した今《いま》ならわかってるけど
麦《むぎ》ばあの若《わか》い頃《ころ》までは「恐《おそ》ろしい伝染病《でんせんびょう》で治《なお》らない」と思《おも》われていて
発病《はつびょう》するとお遍路《へんろ》に出《で》て一生帰《いっしょうかえ》れなかったり
患者《かんじゃ》やその家族《かぞく》が自殺《じさつ》や一家心中《いっかしんじゅう》をしたそうよ

何《なん》で家族《かぞく》まで？＊遺伝《いでん》しないんでしょ
健康保険
健康は身のため國の為。
この病気《びょうき》にかかると戦争《せんそう》に行《い》けない体《からだ》になるとか　貧《まず》しい国《くに》の病気《びょうき》ってイメージがあって
先進国《せんしんこく》の一員《いちいん》になりたかった日本《にっぽん》は患者《かんじゃ》や家族《かぞく》ごと病気《びょうき》を滅《ほろ》ぼそうとしたのよ
国《くに》と国民《こくみん》が一丸《いちがん》となってね
患者《かんじゃ》が就職《しゅうしょく》できる仕事《しごと》も限《かぎ》られていて
美容師《びようし》や理容師《りようし》にもなれなかったの
理容師《りようし》になる夢《ゆめ》をかなえたんや
それであんな年《とし》とってから
やっと店《みせ》を始《はじ》めたんか

＊発病《はつびょう》しやすい体質《たいしつ》が遺伝《いでん》することはあるといわれる。

私《わたし》も小学校《しょうがっこう》で教《おし》えるから少《すこ》し勉強《べんきょう》したんだけど
風と海のなか
療養所《りょうようじょ》で結婚《けっこん》すると男《おとこ》の人《ひと》は不妊手術《ふにんしゅじゅつ》を受《う》けさせられたそうよ
だから子供《こども》を産《う》めなかった人《ひと》は
子供《こども》のかわりに生《い》き物《もの》や人形《にんぎょう》をかわいがるんじゃないかしら
ひどいやん そんな手術《しゅじゅつ》無理《むり》やりに
子供《こども》に自分《じぶん》と同《おな》じ思《おも》いをさせたくなくて
自分《じぶん》から手術《しゅじゅつ》を選《えら》ぶ人《ひと》もいたかもね
麦
だからあの時《とき》麦《むぎ》ばあは「殺《ころ》した」ってー

殺《ころ》したって
いうのは
言葉《ことば》のあやよ
実際《じっさい》に
手術《しゅじゅつ》したのは
三井先生《みついせんせい》かも
三井先生《みついせんせい》って
三井産婦人科《みついさんふじんか》
の⁉
今《いま》は
産婦人科医《さんふじんかい》
だけど
若《わか》い頃《ころ》は麦《むぎ》さんが
いた療養所《りょうようじょ》の
医師《いし》だったそうよ
医者《いしゃ》が同《おな》じでも
私《わたし》とはぜんぜん
状況《じょうきょう》が違《ちが》うね
どうかしら
今《いま》のあんたには
何《なに》か学《まな》ぶべきものが
あるんじゃない？

あんたは自分《じぶん》が何《なに》を失《うしな》ったかわかってへん
……ううん　わかってて目《め》をそむけとう
今夜《こんや》はもう遅《おそ》いから泊《と》まっていきなさい
……うん
Family Restaurant Skylake
カニドリア
ピピッ

お姉《ねえ》ちゃんのおごりや
ジュウウ…
食《く》うで！
朝《あさ》から元気《げんき》やね
ズルル
フー…
フー…
うわ〜〜ん
へへ〜ん
何《なに》かとってこようか？
にいちゃんがウィンナーとった〜
コラ!!
べー
ありがともうええわ

ビービー泣くな!!
だって〜
それ食べ《た》たら出《で》よか
え──!? 久《ひさ》しぶりだし今日《きょう》休《やす》みでしょ
さっさと食べ!
ん──
うるさくて落《お》ち着《つ》かへん?
子供《こども》はおもろいでアホな子《こ》ほど化《ば》けよるし
あたしをゆびささんといて
ほななんで?

ああいうの見《み》てると
負《ま》けてる気《き》がしてね
生《い》き物《もの》として
ギャアアア
よ！しよしよし
ママー おしっこ
一人でしてき！
ええー⁉
夫婦《ふうふ》共働《ともばたら》きで子供《こども》がいないって理想的《りそうてき》やん
かせいだお金《かね》全部《ぜんぶ》自分《じぶん》のために使《つか》えるし
＊ディンクスかて全部自由《ぜんぶじゆう》というわけじゃないで
家《いえ》のローンや交際費《こうさいひ》……
子供《こども》なんてかわいかったらええけど
どーしようもなかったらどないすんの
指をさすな！

＊共働《ともばたら》きで子供《こども》をもたない夫婦《ふうふ》のこと。

最初《さいしょ》から
かわいいとは
限《かぎ》らへんでしょ
だんだん情《じょう》が
わくんじゃない？
うまくいかへん
場合《ばあい》もあるけど
あ／
ギャクタイ
とかね
タンッ。
さて
麦《むぎ》ばあに
会《あ》いに行《い》こう
は？

うん、
ほな また後《あと》で ね
いつも こんな急《きゅう》に お邪魔《じゃま》しよん？
むこうかて 都合《つごう》が あるやろ
理容室《りようしつ》の お客《きゃく》とか
ぷっ
客《きゃく》？
来《こ》おへん 来《こ》おへん
一回《いっかい》も見《み》た ことないで
産院《さんいん》で シャンプー するだけや
でも 行《い》って どないするん
まさかゆうべの話《はなし》 するつもり？

何《なに》？
子供《こども》の話《はなし》？
それも気《き》になるけど
いつもダラダラテレビみて茶菓子《ちゃがし》食《く》って
昼寝《ひるね》したり
ひるね!?
菓子《かし》ぐらい持《も》ってくもんやで
他人行儀《たにんぎょうぎ》やなあ
お菓子《かし》ならこないだも渡《わた》しよったやん
あれからもう何ヶ月《なんかげつ》もたってるでしょ
ふー…
あの人《ひと》も人《ひと》がいいわね
こんなヤンキー娘《むすめ》に

けっこう楽《たの》しいでジェネレーションギャップがー
キャー!…
ほらちゃんと前みて
ころぶで
キャキャ
いいなーフーセン
麦《むぎ》さんはもうやり直《なお》せないのよ
だからあんたには気《き》づいてほしいんだわ

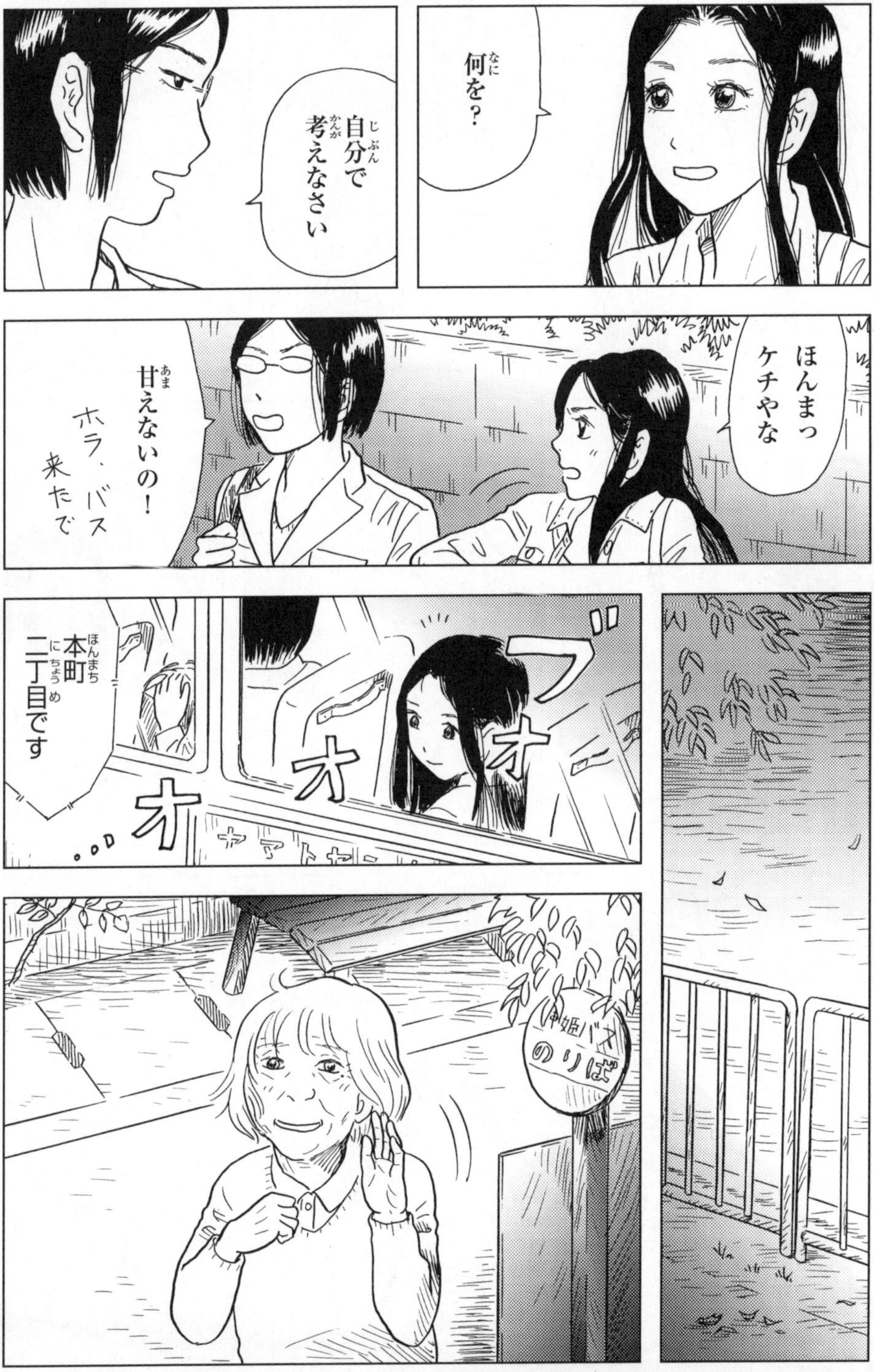

何《なに》を？
自分《じぶん》で考《かんが》えなさい
ほんまっケチやな
甘《あま》えないの！
ホラ、バス来たで
ブオオオ
本町《ほんまち》二丁目《にちょうめ》です
のりば

よう来《き》てくれたねえ
CLOSED
しおりさんひさしぶり
ハイ
すみませんとつぜんお邪魔《じゃま》して
フン フン
おっ
『ナンナン?』の最新号!
これ
どうぞ
ありがとう
気《き》ぃ遣《つか》わんといてね
このカップ買《こ》うたん?
そうやで聡子《さとこ》ちゃんのやで

もっと大《おお》きいのがよかった
すぐ冷める
コラ
お礼《れい》いうところでしょ
お茶
おかわりは？
ねえ
麦《むぎ》ばあの手《て》ってまだ痛《いた》いの？
病気《びょう き》はもう治《なお》ってるんだよね
ちょ…
後遺症《こういしょう》——
手《て》の変形《へんけい》と神経痛《しんけいつう》はずっとよ

痛《いた》み止《ど》めが欲《ほ》しくて薬《くすり》の中毒《ちゅうどく》になる人《ひと》もおったくらい
えぇ～!?
聡子《さとこ》はいつもこんな調子《ちょうし》ですか？
なにその言《い》い方《かた》～
フフ…
裏表《うらおもて》なくてええやん
裏表《うらおもて》ないことにかけては動物《どうぶつ》なみです
まあ!
アハハ…
何《なん》やねんそれ
ぬっ
きゃ…
いけいけ千代《ちよ》ちゃん
ごめんね猫《ねこ》苦手《にがて》やった？

……
フミ
フミ
大丈夫《だいじょうぶ》……かも
ぐー
ぐー
ぐー
ぐー
ねー
麦《むぎ》ばあ
子供《こども》いないと
幸《しあわ》せに
なれない？

聡子《さとこ》！あんたはいつも人《ひと》の気持《きも》ちにズカズカ踏《ふ》みこみすぎ
だって気《き》になるやんかお姉《ねえ》ちゃんは教《おし》えてくれへんし
いちいち身《み》の上《うえ》をきかないと仲良《なかよ》くなれへんの？
辛《つら》い過去《かこ》を話《はな》しても理解《りかい》されなかったら話《はな》し損《ぞん》やないの
何《なに》も知《し》らんとうわっつらのつきあいで何《なに》が面白《おもしろ》いんよ
男《おとこ》と女《おんな》かてつきあってみなわからへんやん
それで自分《じぶん》の大安《おおやす》売《う》りして妊娠《にんしん》して捨《す》てられたんでしょ

本当《ほんとう》に好《す》きな人《ひと》がみつかるまでに
どんだけボロボロになるつもりよ
お姉《ねえ》ちゃんにはわからへんわ
勉強《べんきょう》も就職《しゅうしょく》も結婚《けっこん》も何《なん》でもそつなくこなせて
ご立派《りっぱ》なことですねーだ!!
フンッ!
ぷっ

はっ
何《なん》や麦《むぎ》ばあ
ひとごと
みたいに
ごめんな
くっ
くっ
ふたりとも
ええ子《こ》やなあ
きょうだいでも
性格《せいかく》は
正反対《せいはんたい》なのね
うちら
血《ち》ぃつながって
へんで

まあ そうやったの
ママは後妻《ごさい》で あたしはママの 連《つ》れ子《ご》なんよ
パパが 教《おし》え子《ご》と 再婚《さいこん》 したの
そういう 言い方は…
遠慮《えんりょ》せん といてね
ちゃんと 聞《き》いてくれる人《ひと》には 聞《き》いてほしいの

気持《きも》ちの整理《せいり》がついたら
きっと話《はな》すから
ブォン！
フー…
ガタ
ガタン
逆《ぎゃく》に気《き》を遣《つか》われてしもた
お土産《みやげ》まで……
でもあんたすごいな
えー何《なに》が？
おっ、アタシの好物ばっかり
人《ひと》の懐《ふところ》に入《はい》りこむ天才《てんさい》や
土足だけど

あ
『ナンナン？』の最新号《さいしんごう》 借《か》りてくればよかった
あの本《ほん》もあんたのために毎月《まいつき》買《か》ってくれてるんじゃない？
そうかな
そうやで
あの店《みせ》の客層《きゃくそう》なら『そうかい？』か『いっきいき』やで
カップも
ん？
あのカップをもらった意味《いみ》をよく考《かんが》えなさい
……
ふーん

今度《こんど》お礼《れい》ちゃんと言《い》うよ
ガタ
そうじゃなくて
ガタン
もしあんたがいい加減《かげん》な気持《きも》ちで会《あ》いに行《い》ってたら
麦《むぎ》さんを傷《きず》つけることになるでしょう
「また来《く》るね」とかいってそれっきり使《つか》われないカップを見《み》るたびあんたを思《おも》い出《だ》して涙《なみだ》——
せつなすぎるわ
あたしそこまでひどくないで
はー…
だといいけど
ブォー…

第《だい》9話《わ》
千代《ちよ》ちゃんの妹《いも》

カララン
ヘアサロン
麦
そお 就職《しゅうしょく》決《き》まったん
良《よ》かったなあ 聡子《さとこ》ちゃん
小《ちい》さい会社《かいしゃ》やけどね
やめれ
どうりで大人《おとな》っぽくなったわあ
今までは大人《おとな》っぽくなかったん？
え？
今《いま》までは…そやねえ

この子《こ》の母親《ははおや》がちょうどあんな感《かん》じやったわ
「さわらんといて！」って毛《け》え逆立《さかだ》てて
え――!? けものレベルかよ あたし
ううんもっとそっくりな人《ひと》がおるわ
誰《だれ》よ 犬？
誰《だれ》やねん
まあまあお茶《ちゃ》でも一杯《いっぱい》どうぞ
何《なん》か気《き》になるやんか
これから会《あ》わせてあげるから
あれから客《きゃく》来《き》た？
うん まあ相変《あいか》わらずよ
大丈夫《だいじょうぶ》か？この店《みせ》

ダンナさんの
他《ほか》にも身内《みうち》とか
来《こ》おへんの？
何十年《なんじゅうねん》も
生《い》きとったら
たくさんおるやろ
あ……ごめん
何《なん》かまずいこと
きいた？
ううん
身内《みうち》といえば
聡子《さとこ》ちゃんが
上京《じょうきょう》したら
おうちの人《ひと》淋《さみ》し
がるやろなって
別《べっ》にぃ
お姉《ねえ》ちゃんは
ともかく
父親《ちちおや》なんて
え？
父親《ちちおや》は優等生《ゆうとうせい》の
お姉《ねえ》ちゃんが
お気《き》に入《い》りやし
あたしは
ママの
連《つ》れ子《ご》やもん

──そや 聡子《さとこ》ちゃん 晩《ばん》ごはん食《た》べていかへん？
友達《ともだち》と鍋《なべ》するんよ
ええっ
いいよ 年寄《としよ》りは年寄《としよ》りで楽《たの》しめば
聡子《さとこ》ちゃんに会《お》うてほしいんよ
私《わたし》の一番《いちばん》の友達《ともだち》やもん
何《なん》やそれでゴキゲンなん
老《お》い先短《さきみじか》い年寄《としよ》りの頼《たの》み断《ことわ》ったら悪者《わるもの》みたいやん
カララン♪
あら 着っいたみたい 聡子《さとこ》ちゃん出《で》てくれへん？
ええー!?
べっちょないあなたのことは話《はなし》してあるから
話《はなし》してあるって何《なに》をよ
あたしに似《に》てるとかいってもばーさんやろ？

こ……
このばーさんが!?

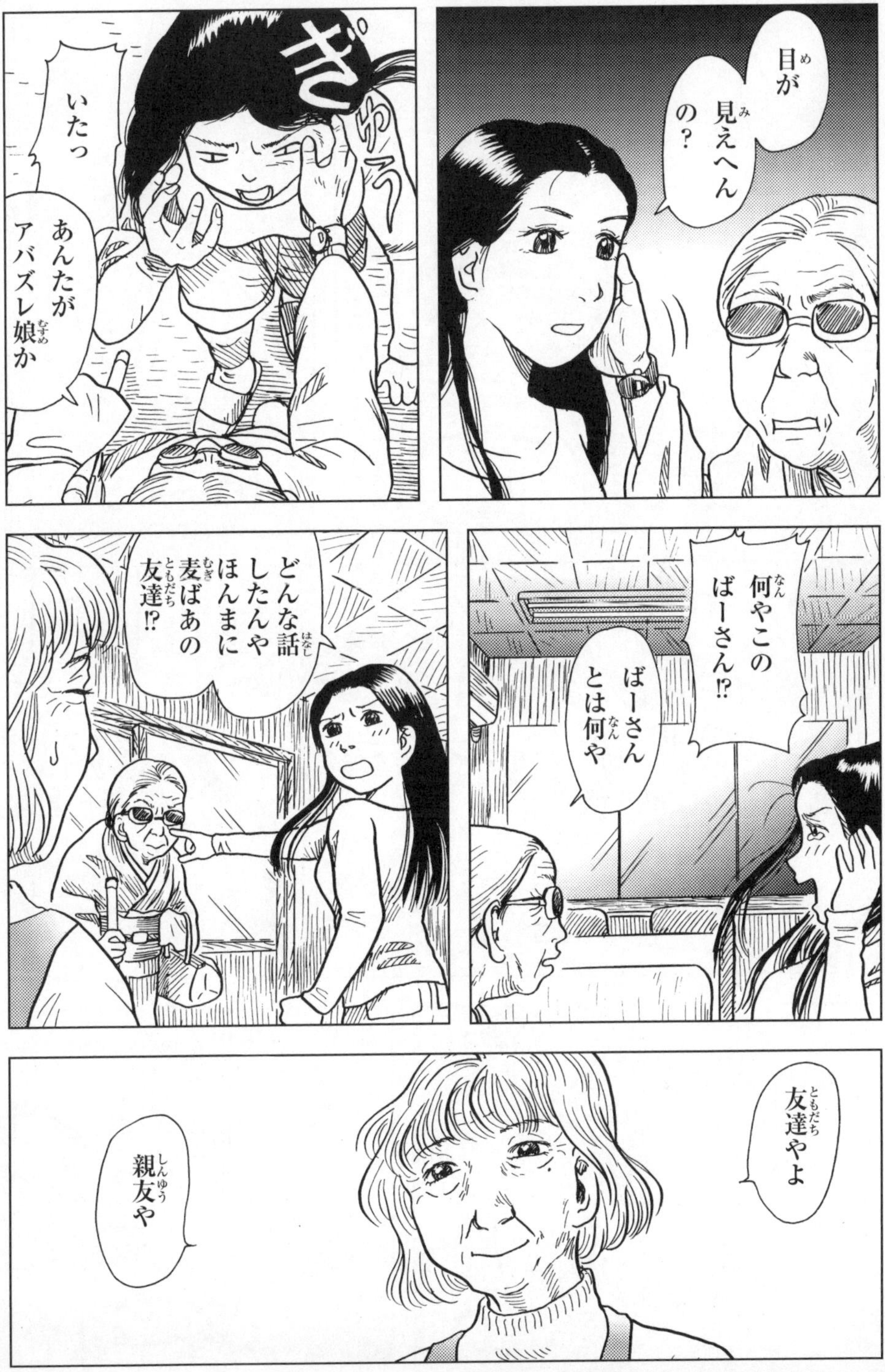
目《め》が見《み》えへんの？
ぎゅう
いたっ
あんたがアバズレ娘《むすめ》か
何《なん》やこのばーさん⁉
ばーさんとは何《なん》や
どんな話《はなし》したんやほんまに麦《むぎ》ばあの友達《ともだち》⁉
友達《ともだち》やよ
親友《しんゆう》や

親友《しんゆう》や
おまへん
ただの
知《し》り合《あ》いや
あかんで
千代ちゃん
……ねえ
見《み》えないって
どんな感《かん》じ？
ぱしっ
コン
げっ
何《なん》で年寄《としよ》りの
障害者《しょうがいしゃ》がそない
元気《げんき》やねん
そらアンタの
思《おも》い込《こ》みや
あと
一人《ひとり》は
次《つぎ》のバス
やろか

あと一人《ひとり》って？
フン
カチッ
来《く》るとは思《おも》えへんわ
わからんで
今日《きょう》は千代《ちよ》ちゃんの命日《めいにち》や
ふん……
ああ退屈《たいくつ》 早《はよ》う来《き》すぎたな
ほな 髪《かみ》のセットしよか
聡子《さとこ》ちゃん 鍋《なべ》見《み》ててな
ケホ

ほな しよか 恵子《けいこ》さん
私《わたし》と同《おな》じ 中古《ちゅうこ》の機械《きかい》 やけど
麦《むぎ》ばあ 鍋《なべ》煮《に》え たぎっとうで いつまで――
えっ
フッ
停電《ていでん》かよ!?
イヤやわ 台風《たいふう》でも ないのに 何《なん》でやろ
電熱鍋《でんねつなべ》と パーマ機《き》で 容量《ようりょう》オーバーや

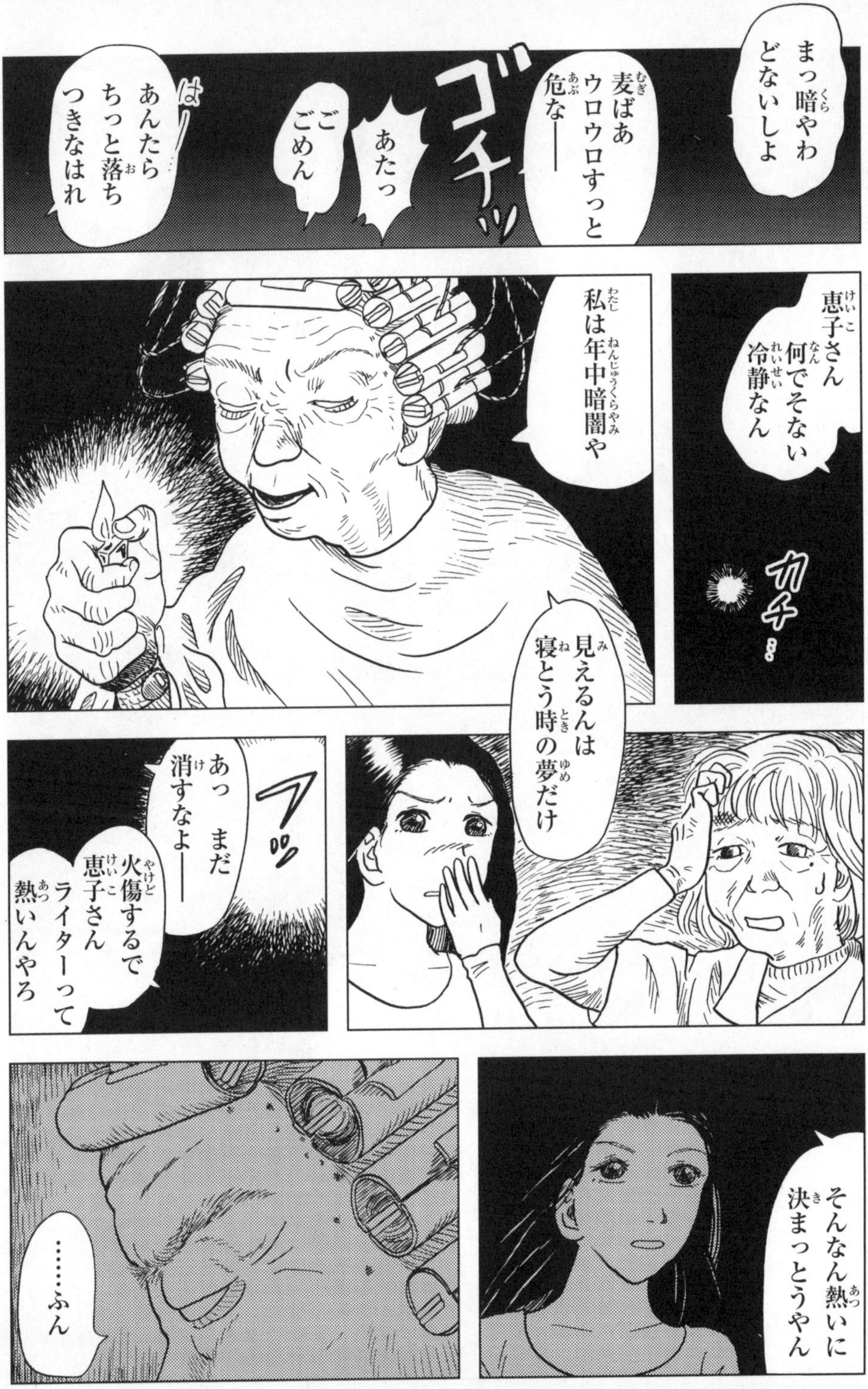
まっ暗《くら》やわ どないしよ
麦《むぎ》ばあ ウロウロすっと 危《あぶ》な——
ゴチッ
あたっ
ごごめん
はー…
あんたら ちっと落《お》ち つきなはれ
恵子《けいこ》さん 何《なん》でそない 冷静《れいせい》なん
カチ…
私《わたし》は年中暗闇《ねんじゅうくらやみ》や
見《み》えるんは 寝《ね》とう時《とき》の夢《ゆめ》だけ
あっ まだ 消《け》すなよ——
フッ
火傷《やけど》するで 恵子《けいこ》さん ライターって 熱《あつ》いんやろ
そんなん熱《あつ》いに 決《き》まっとうやん
……ふん

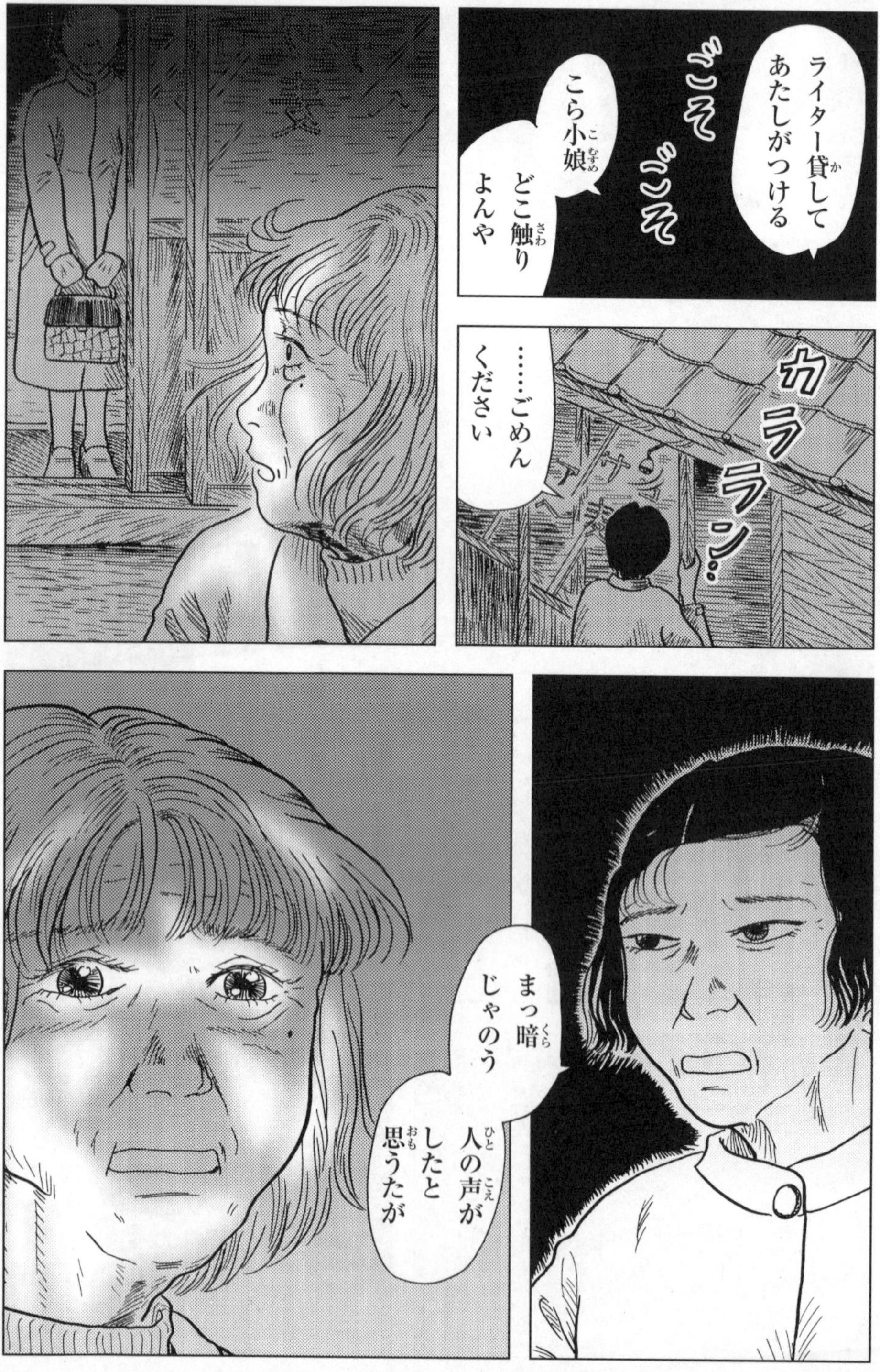
ライター貸《か》して あたしがつける
ごそ ごそ
こら小娘《こむすめ》 どこ触《さわ》り よんや
カラ ラン…
……ごめん ください
まっ暗《くら》 じゃのう
人《ひと》の声《こえ》が したと 思《おも》うたが

千代《ちよ》ちゃん
えっ
……私《わたし》は妹《いもうと》の美代《みよ》です
上原麦《うえはらむぎ》さんですか
ぐつぐつ
美代《みよ》さん よう来《き》てくれたなあ
さっきはまちがえてごめんな
あんまり似《に》てはったさかい
千代《ちよ》ちゃんが生《い》きとったらこないかって
グスッ

もしかして
千代《ちよ》さんの妹《いもうと》?
ピキャー
もく もく もく もく
何《なん》やの……
……
小娘《こむすめ》
肉《にく》はまず
食《しょく》の細《ほそ》い
年寄《としよ》りに
譲《ゆず》るもんやろ
ひとの三倍《さんばい》食《く》う
年寄《としよ》りか
ちっ
ばーさんにも
いろいろおんねんな

あに《な》が まー《ば》は《さ》んや
ごくん
アンタも通《とお》る 道《みち》なんやで
ピキャー
しゃあないなあ 千《ち》代《よ》ちゃん
ちょっと だけやで
んなこと 言《い》われても あはひまわ《あたしまだ》 ははひやもん《はたちだもん》
あ……猫《ねこ》です 猫《ねこ》の名前《なまえ》
つい同《おな》じ 名前《なまえ》を 何《なん》か目元《めもと》が 似《に》てて
見《み》えへんのに ようそない速《はよ》う 食《た》べれるなあ
煮《に》すぎたら せっかくのええ肉《にく》が 固《かと》うなるやんか
美代《みよ》さんもどうぞ 召《め》し上《あ》がって

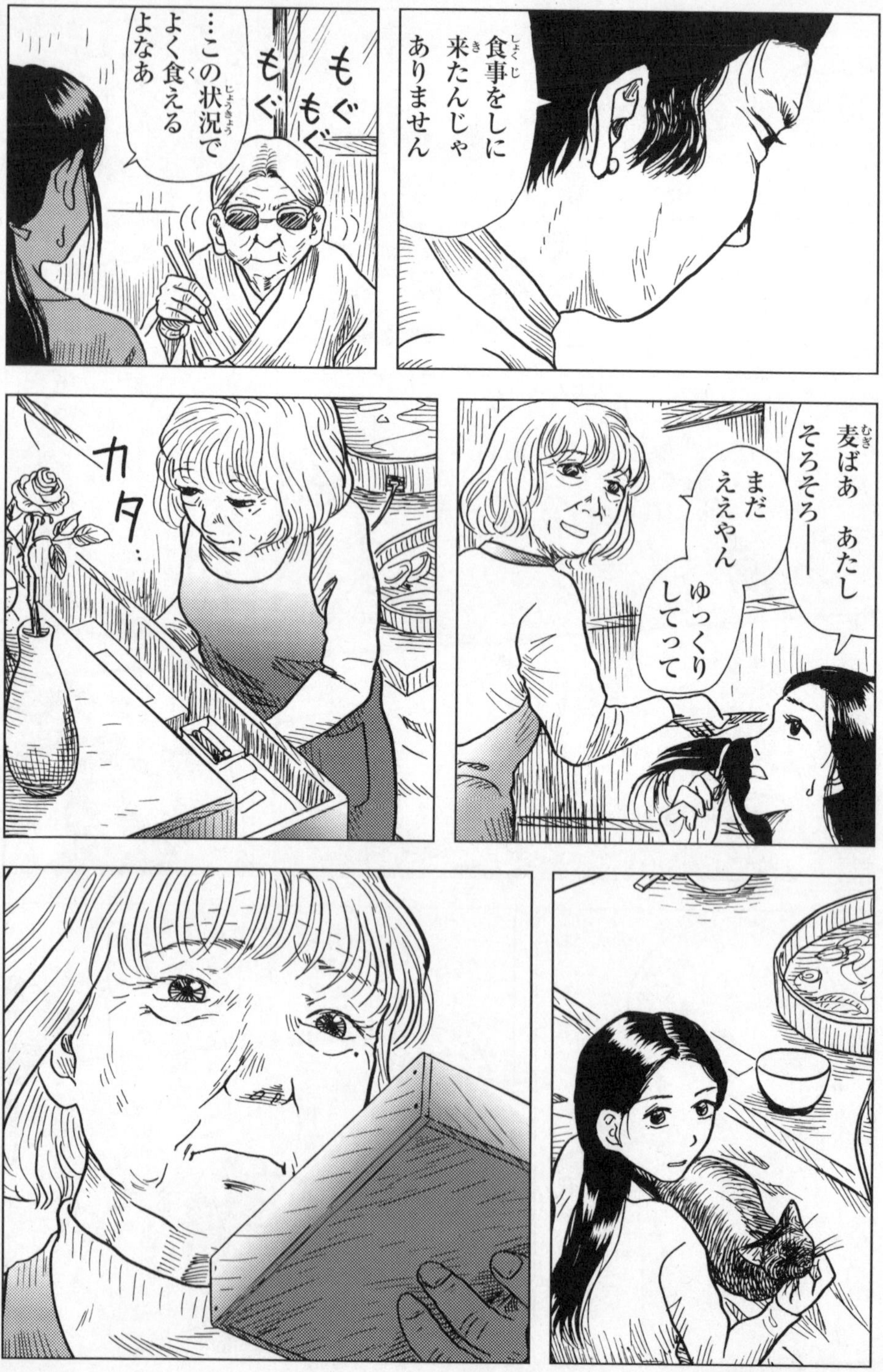
食事《しょくじ》をしに来《き》たんじゃありません
もぐもぐもぐ
…この状況《じょうきょう》でよく食《く》えるよなあ
麦《むぎ》ばあ あたしそろそろ――
まだええやん ゆっくりしてって
カタ…

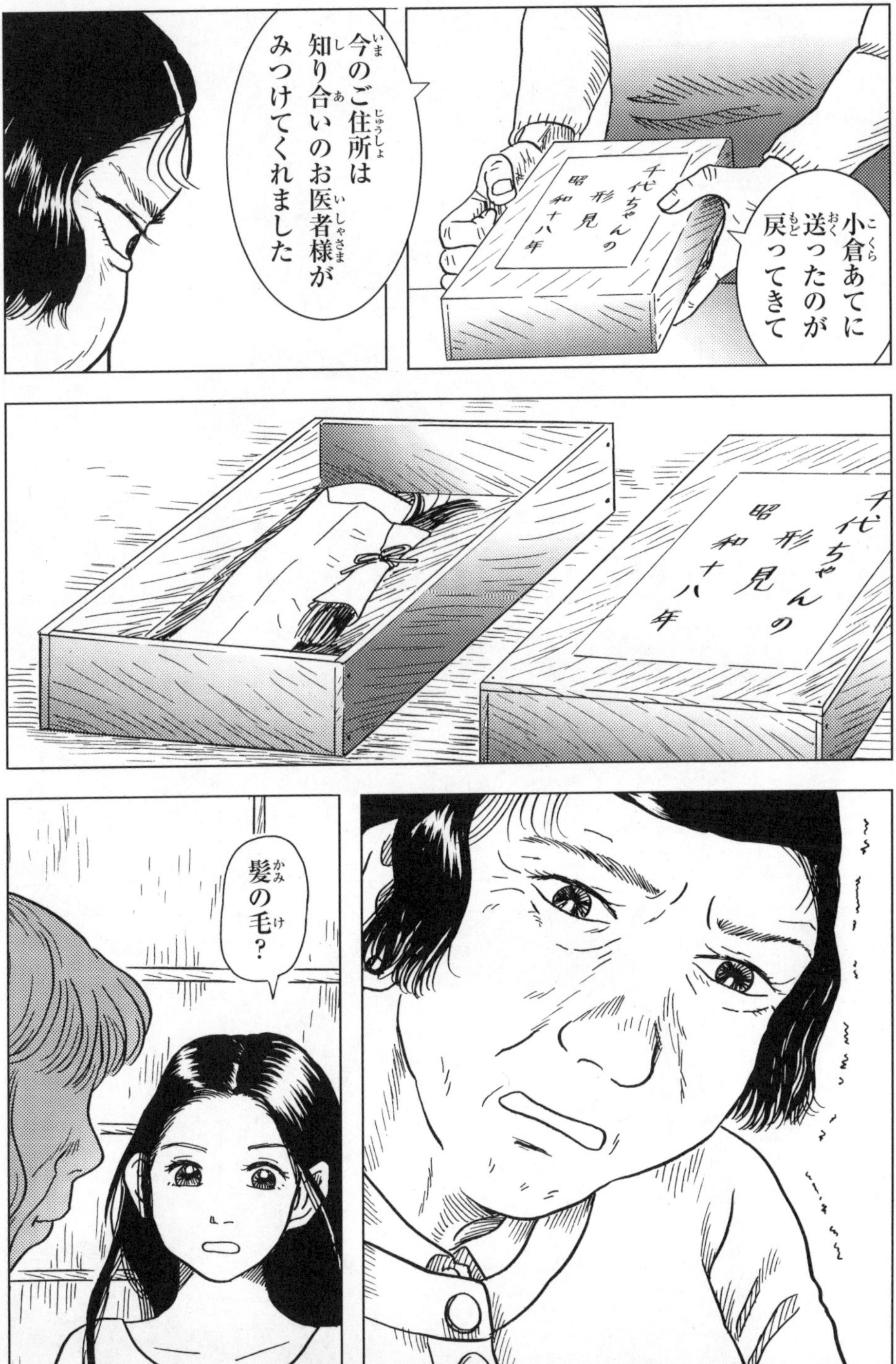
小倉《こくら》あてに送《おく》ったのが戻《もど》ってきて
千代ちゃんの形見 昭和十八年
今《いま》のご住所《じゅうしょ》は知《し》り合《あ》いのお医者様《いしゃさま》がみつけてくれました
千代ちゃんの形見 昭和十八年
髪《かみ》の毛《け》？

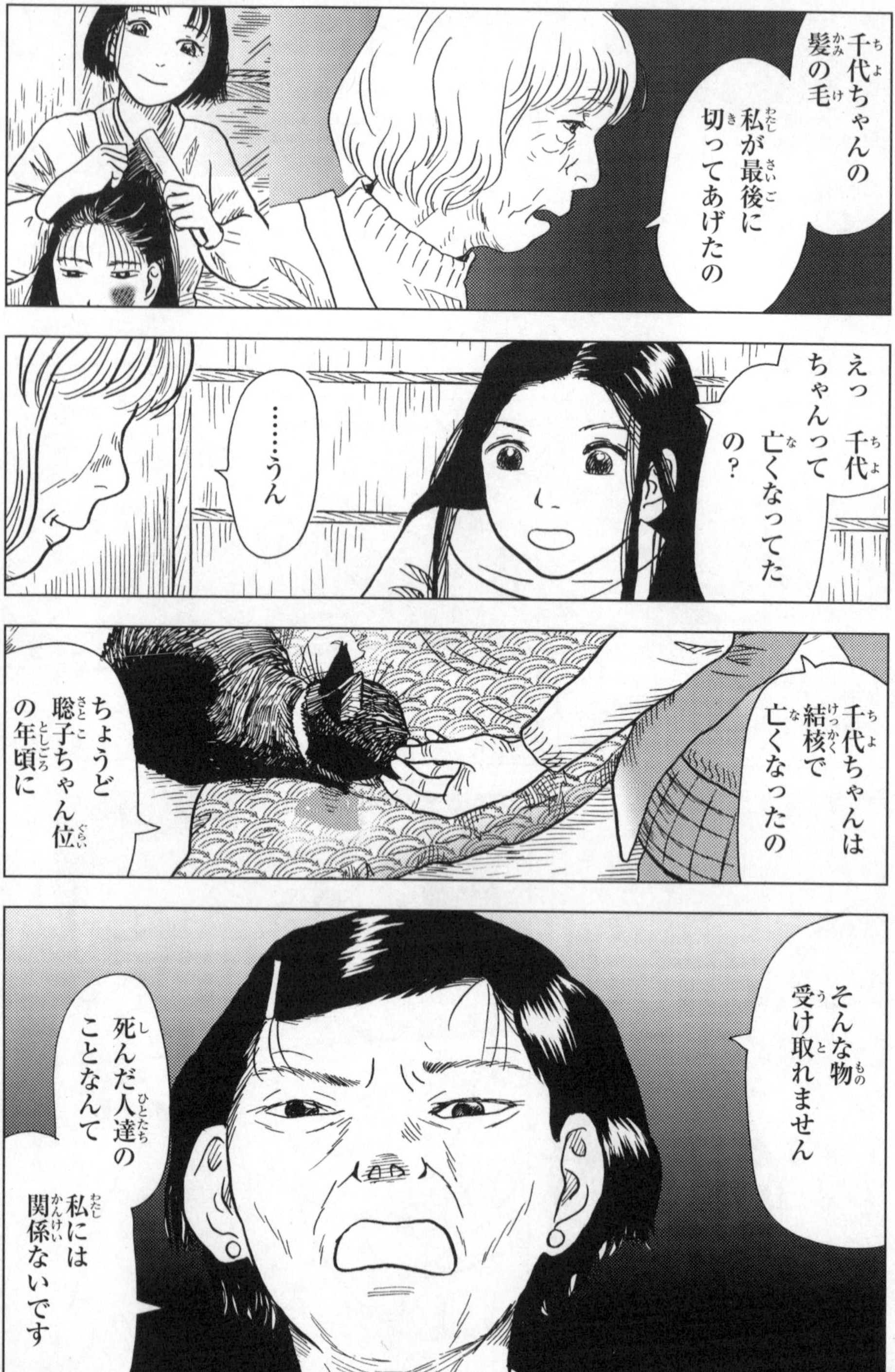
千代《ちよ》ちゃんの髪《かみ》の毛《け》
私《わたし》が最後《さいご》に切《き》ってあげたの
えっ 千代《ちよ》ちゃんって亡《な》くなってたの？
……うん
千代《ちよ》ちゃんは結核《けっかく》で亡《な》くなったの
ちょうど聡子《さとこ》ちゃん位《ぐらい》の年頃《としごろ》に
そんな物《もの》受《う》け取《と》れません
死《し》んだ人達《ひとたち》のことなんて
私《わたし》には関係《かんけい》ないです

けど　今日《きょう》来《き》てくれはったんは
千代《ちよ》ちゃんの命日《めいにち》だからでしょう?
勘違《かんちが》いしないで　甥《おい》の結婚《けっこん》が——
——とにかく
もう二度《にど》と連絡《れんらく》しないで下《くだ》さい
おおかた父親《ちちおや》ともども戸籍《こせき》から消《け》してあって
お骨《こつ》かて置《お》くとこあらへんのやろ
世間《せけん》の目《め》のおそろしさ　療養所《りょうようじょ》で守《まも》られて暮《く》らしてた人《ひと》にはわかりません

小《ちい》さい頃《ころ》からずっと私達《わたしたち》家族《かぞく》は
父《ちち》や姉《あね》の病気《びょうき》が人《ひと》に知《し》れるたび職場《しょくば》や学校《がっこう》や住《す》む所《ところ》を追《お》われ
やっと落《お》ち着《つ》いたらまた引《ひ》っ越《こ》し
弟《おとうと》が所帯《しょたい》を持《も》てたのは四十《よんじゅう》すぎ
私《わたし》は縁談《えんだん》がダメになり今《いま》も独身《どくしん》です
ぜんぶ父《ちち》と姉《あね》のせいです
カチッ
ふーーっ
ぜんざいは作《つく》ってあるんやろ

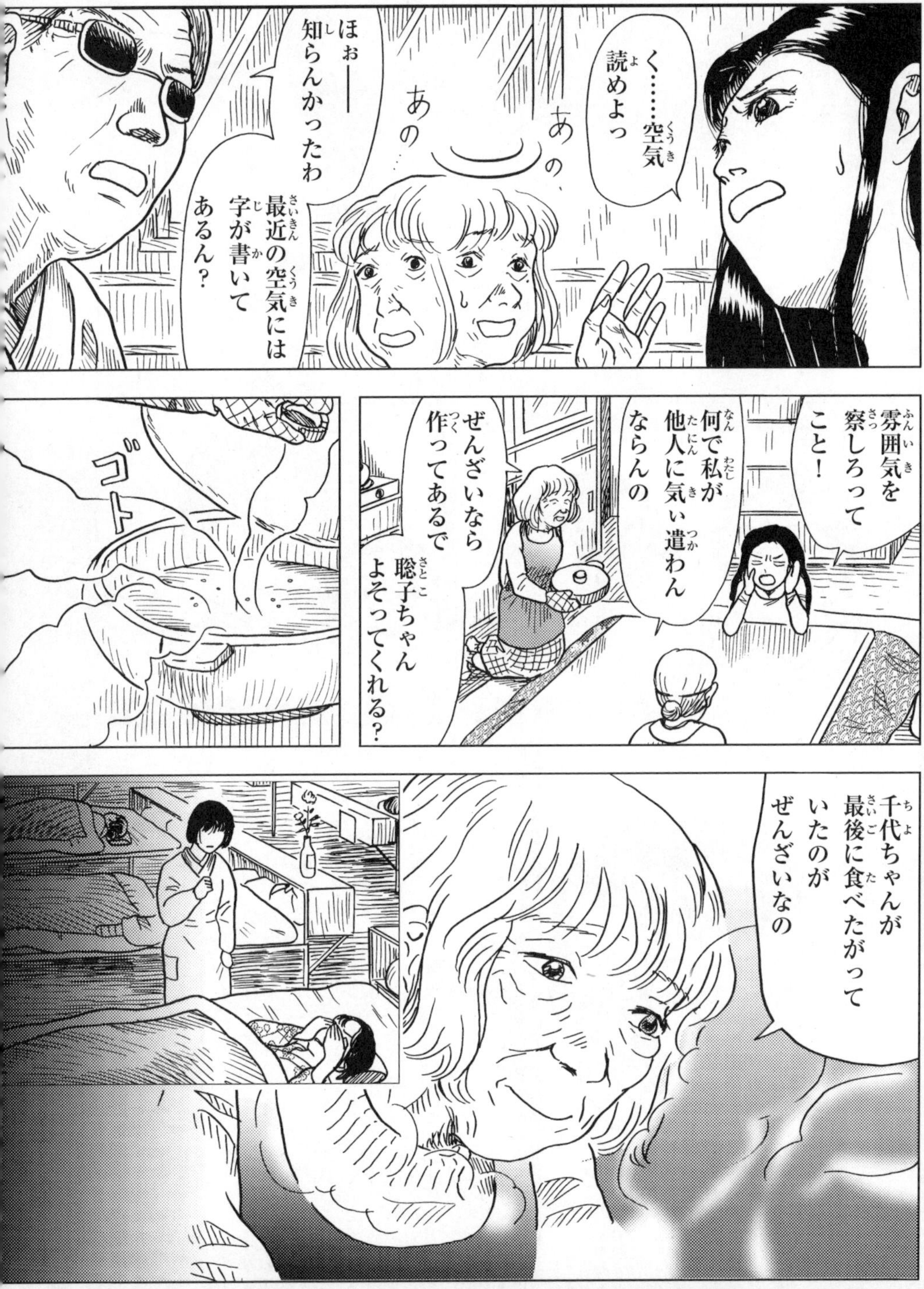
く……空気《くうき》
読《よ》めよっ
あの、あの…
あの
ほぉ——
知《し》らんかったわ
最近《さいきん》の空気《くうき》には
字《じ》が書《か》いて
あるん？
雰囲気《ふんいき》を
察《さっ》しろって
こと！
何《なん》で私《わたし》が
他人《たにん》に気《き》ぃ遣《つか》わん
ならんの
ぜんざいなら
作《つく》ってあるで
聡子《さとこ》ちゃん
よそってくれる？
ゴト
千代《ちよ》ちゃんが
最後《さいご》に食《た》べたがって
いたのが
ぜんざいなの

ぜんざい！
テツさんと
一緒《いっしょ》だから安心《あんしん》よ
母《かあ》さん達《たち》も
落《お》ち着《つ》き先《さき》が
みつかったら
すぐ連絡《れんらく》
するけ

あんたら わがままばかり 言《ゆ》うて 母《かあ》さんを困《こま》らせ なさんなよ
うん
材料《ざいりょう》をかき集《あつ》めて作《つく》った時《とき》にはもう危篤《きとく》で食《た》べさせてあげられなかったの
フン
戦時中《せんじちゅう》は貴重品《きちょうひん》や小豆《あずき》も砂糖《さとう》も
私達家族《わたしたちかぞく》だって口《くち》に入《はい》るものなら泥水《どろみず》さえ飲《の》んだわ
父《ちち》と姉《あね》の病気《びょうき》を隠《かく》すために母子《おやこ》三人《さんにん》で転々《てんてん》と逃《に》げ回《まわ》り
母《はは》は苦労《くろう》がたたって早死《はやじ》にした
私達家族《わたしたちかぞく》の幸《しあわ》せをこれ以上《いじょう》壊《こわ》さないで

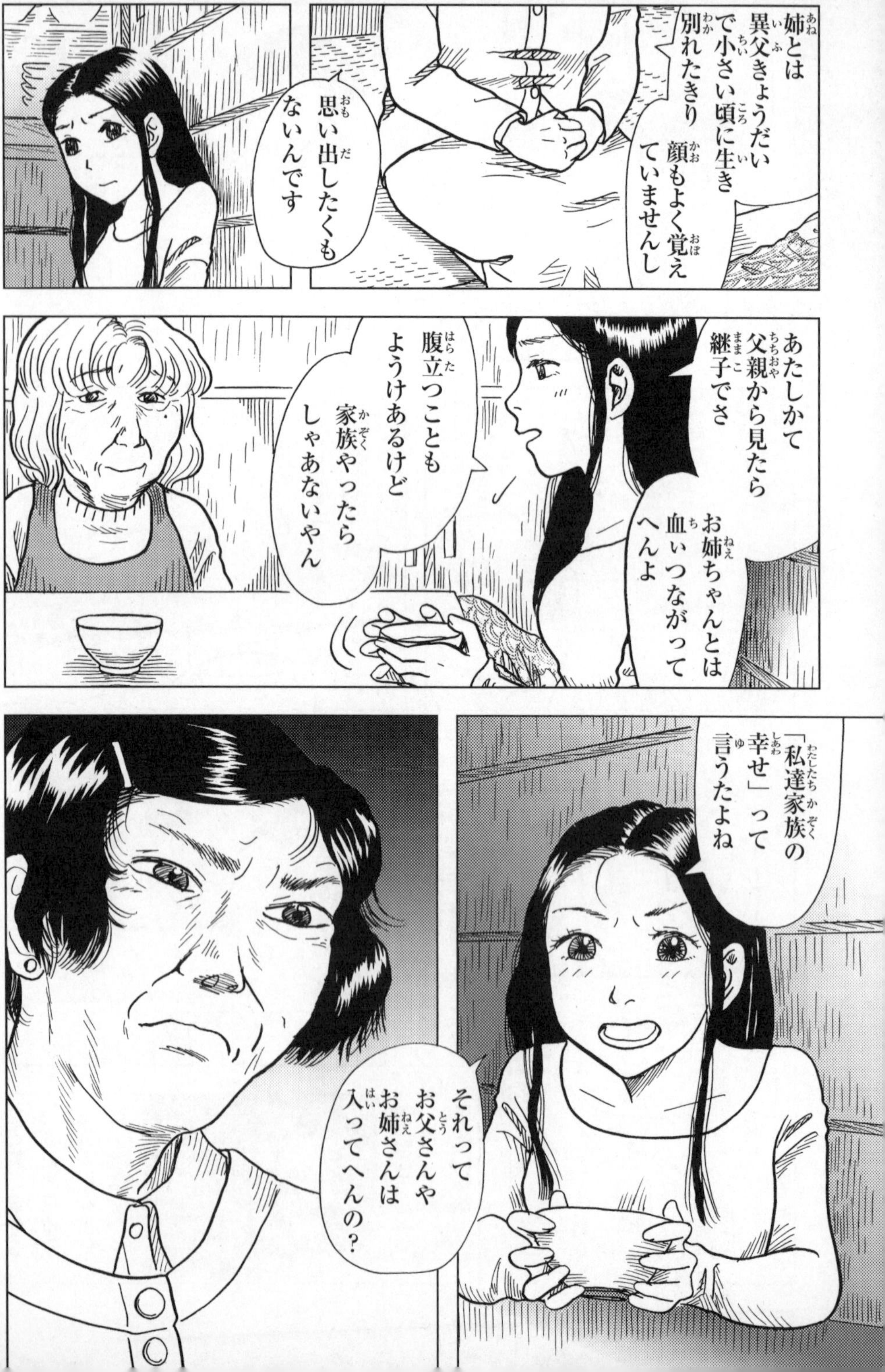
姉《あね》とは異父《いふ》きょうだいで小《ちい》さい頃《ころ》に生《い》き別《わか》れたきり 顔《かお》もよく覚《おぼ》えていませんし
思《おも》い出《だ》したくもないんです
あたしかて父親《ちちおや》から見《み》たら継子《ままこ》でさ
お姉《ねえ》ちゃんとは血《ち》ぃつながってへんよ
腹立《はらた》つこともようけあるけど家族《かぞく》やったらしゃあないやん
「私達《わたしたち》家族《かぞく》の幸《しあわ》せ」って言《ゆ》うたよね
それってお父《とう》さんやお姉《ねえ》さんは入《はい》ってへんの？

もう二度《にど》と
こんな話《はなし》を
蒸《む》し返《かえ》さない
ように
約束《やくそく》させ
なければ
いまわしい
病気《びょうき》は
父《ちち》と姉《あね》だけ
私《わたし》には
関係《かんけい》ない

第《だい》10話《わ》
父《ちち》の発病《はつびょう》

昭和四年《しょうわよねん》
はる
はるちゃん
姉《あね》はると母《はは》は小倉《こくら》に住《す》んでいた
テツさんがまたお菓子《かし》を作《つく》ってきてくれたけ
こっちにきて座《すわ》りー
元気《げんき》やった？はるちゃん

テツさん ありがとう ございます
なんち言《い》いよるん？
早《は》よ食《た》べんね
はるちゃんも桜餅《さくらもち》好《す》きやろ？
パタン
頂《いただ》き物《もの》は父《とう》さんにお供《そな》えしてからやけ
しっかりしとるのぉ

りーん
幸《しあわ》せもんやね
俺《おれ》は
こんないい子《こ》の
父親《ちちおや》に
なれるんやけ

お茶《ちゃ》入《い》れ替《か》えますね
テツさんと母《かあ》さんは
結婚《けっこん》するん？
そしたら再婚《さいこん》してもいいと？
母《かあ》さんが決《き》めたことやけしょうがないっちゃ

うん
でもね
ん？
テッさんは
テッさんっちゃ
やけ
父《とう》さんとか
呼《よ》ばんけね

はる
はは…
急《きゅう》にはムリやろう
それでいいっちゃ

銀太郎《ぎんたろう》さん
カンニンして下《くだ》さい
まもなく母《はは》は再婚《さいこん》することになった
引《ひ》っ越《こ》し？
金沢《かなざわ》は菓子《かし》作《づく》りが盛《さか》んで水《みず》もいいけね修行《しゅぎょう》に行《い》くんが死《し》んだ父《とう》さんの夢《ゆめ》やったんよ
テッさんもぜひそうしたいっち

引《ひ》っ越《こ》すんなら はるが学校《がっこう》に あがる前《まえ》のほうが いいけ……
金沢《かなざわ》って
博多《はかた》より 遠《とお》いん？
あは は
しっかり しとるようで まだまだ子供《こども》 やねー
何《なん》ち 言《い》いよるん もう知《し》らん！
城下町《じょうかまち》 金沢《かなざわ》で
金沢屋
父《ちち》は めきめき 腕《うで》を上《あ》げ
やがて 私《わたし》と弟《おとうと》が 生《う》まれた

まあ こんなに いただいて いいんですか？
ええんよお お菓子《かし》の お礼《れい》や
テツさんの お店《みせ》にも 持《も》って行《い》って
見《み》てテツさん 立派《りっぱ》な栗《くり》
じー…
味噌汁《みそしる》の 小芋《こいも》がどう したっち？
そう やん！
ばっ

こうなったら
もう話《はな》し
にならんね
ガラピシャッ
ちょ 行《い》って
くるけ！
テツさん
おはようさん
足下《あしもと》みとかんと
ぬかって危《あぶ》ない
で―
ズダダッ
うぉーん
みよねぇの
ケチ！
はる
母《かあ》さんは手《て》が
はなせんけ
栗《くり》を金沢屋《かなざわや》に
届《とど》けてくれん？

カタ
カタタ
はるちゃん おつかい？
休《やす》みなのに えらいなあ
大家《おおや》さん おはよう ございます 金沢屋《かなざわや》まで 行《い》って参《まい》り ます
はい 行《い》っといで
まだ九《ここの》つ やろ
しっかり しとるねえ 父親より
菓子
金沢

ごめん ください
はるちゃん いらっしゃい
お世話《せわ》に なって おります
テッちゃん
いいです！ 母《はは》がこれを
まぁ 立派な くり！
おおきにね お母《かあ》さんに よろしくね
ちょっと 休《やす》んでいき
いえ そんな
おいしい紅白《こうはく》 饅頭《まんじゅう》が蒸《む》しあがった とこやで
………
……すみません
いややわー 子供《こども》が遠慮《えんりょ》 なんかせん のよ！
お抹茶《まっちゃ》 たてるわ

おいしかった
赤い方は あの子らに…
こんにちは あら かわいい お客《きゃく》さん だんさんの 隠《かく》し子《ご》？
あはは
へー テッさんの 娘《むすめ》さん！
あれ？ 今《いま》 はるの 声《こえ》が——
えらいんやでー 連《つ》れ子《こ》なのに 実《じつ》の子《こ》と同《おな》じように かわいがって

はっ
ごちそうさまでした
カタタ…
はるちゃん
かかんにんやでテッちゃん
大丈夫《だいじょうぶ》ですよあの子《こ》はしっかりしとるけ
……しっかりしとるけ心配《しんぱい》なんやけど
ふっ
ふっ

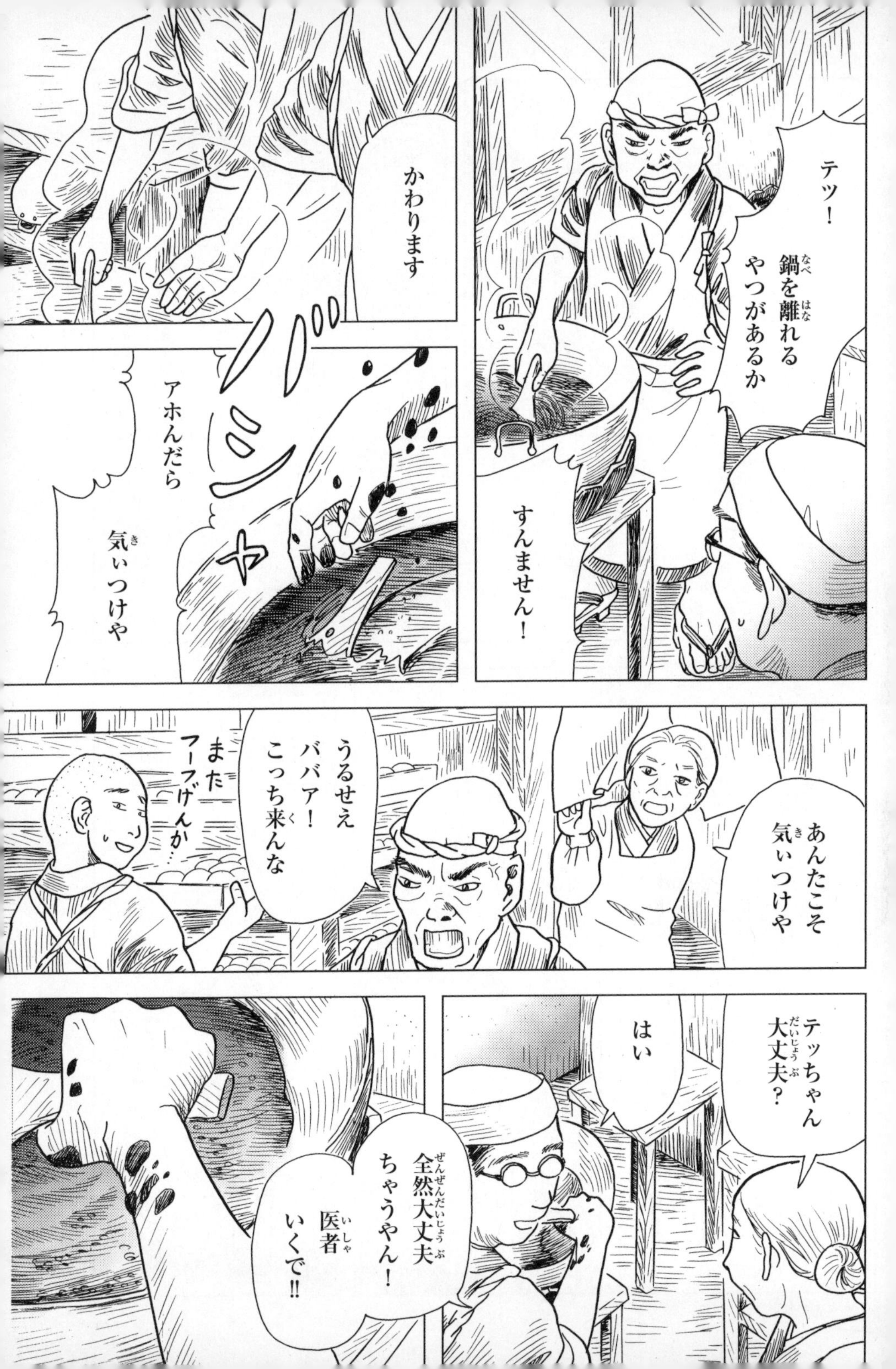
テッ！
鍋《なべ》を離《はな》れるやつがあるか
すんません！
かわります
アホんだら
気《き》ぃつけや
あんたこそ気《き》ぃつけや
うるせえババア！こっち来《く》んな
またフーフげんか…
テッちゃん大丈夫《だいじょうぶ》？
はい
全然《ぜんぜん》大丈夫《だいじょうぶ》ちゃうやん！医者《いしゃ》いくで‼

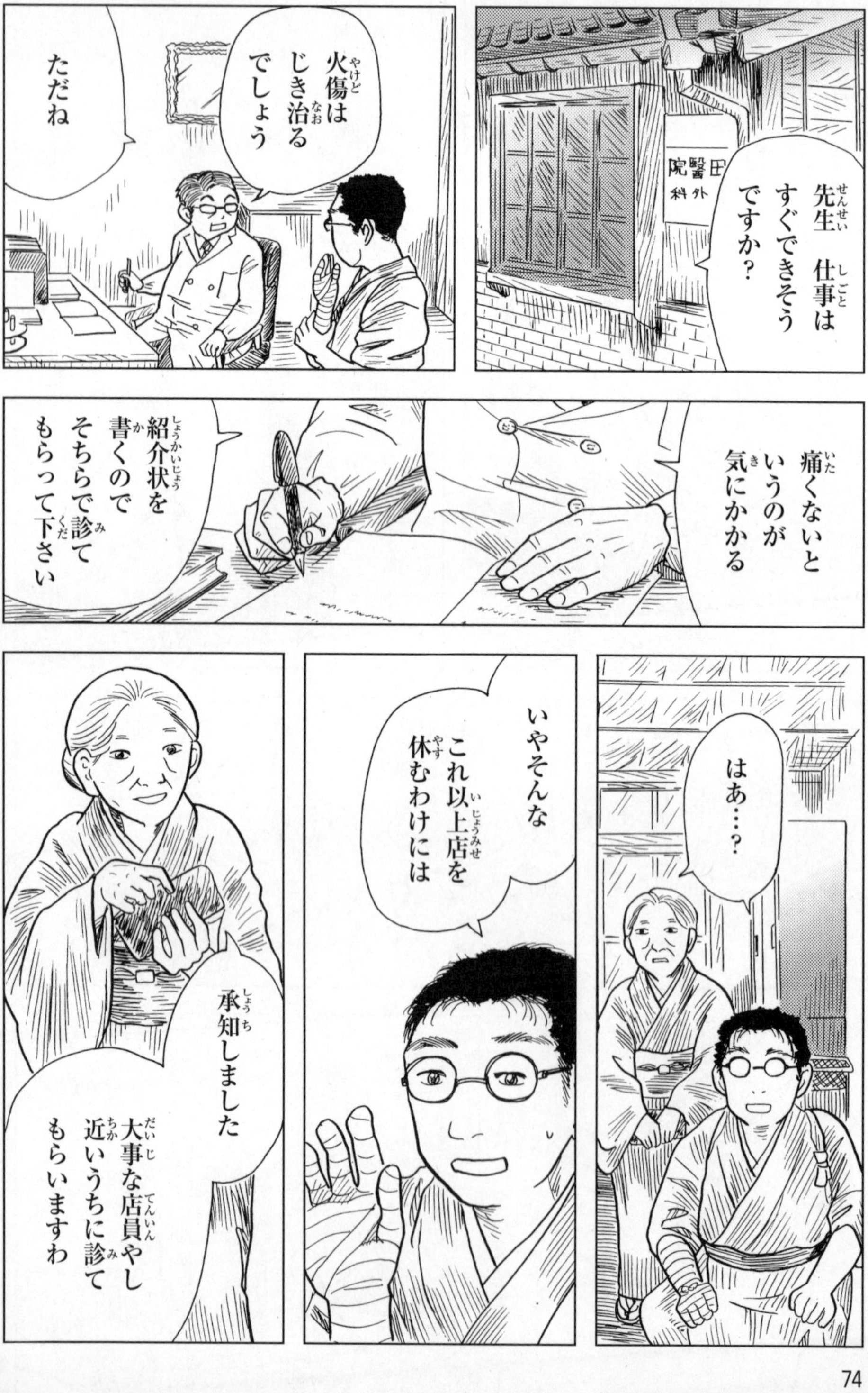

田醫院
外科
先生《せんせい》 仕事《しごと》はすぐできそうですか？
火傷《やけど》はじき治《なお》るでしょう
ただね
痛《いた》くないというのが気《き》にかかる
紹介状《しょうかいじょう》を書《か》くのでそちらで診《み》てもらって下《くだ》さい
はあ…？
いやそんなこれ以上店《いじょうみせ》を休《やす》むわけには
承知《しょうち》しました
大事《だいじ》な店員《てんいん》やし近《ちか》いうちに診《み》てもらいますわ

ガララ。
ただいま
とーたん
テッさん
手《て》ぇ
どうしたん？
たはは
なん？
ぼんやり
しとって
あんで火傷《やけど》
しただけっちゃ

お医者《いしゃ》に行《い》ったと?
行《い》った行《い》ったすぐ治《なお》るっち
ちゃっ
ちゃっ
はる
キャーアハハ
宿題《しゅくだい》は済《す》んだん?
ちゃっ
ぽとっ
落《お》ちたが
さわらんで

あー…
はる?
はる
こっち
手伝《てつだ》って
くれん
コト…
さ
はるもごはんに
しようや
チュン
チュン…
チ…
やがて
冬《ふゆ》がきた

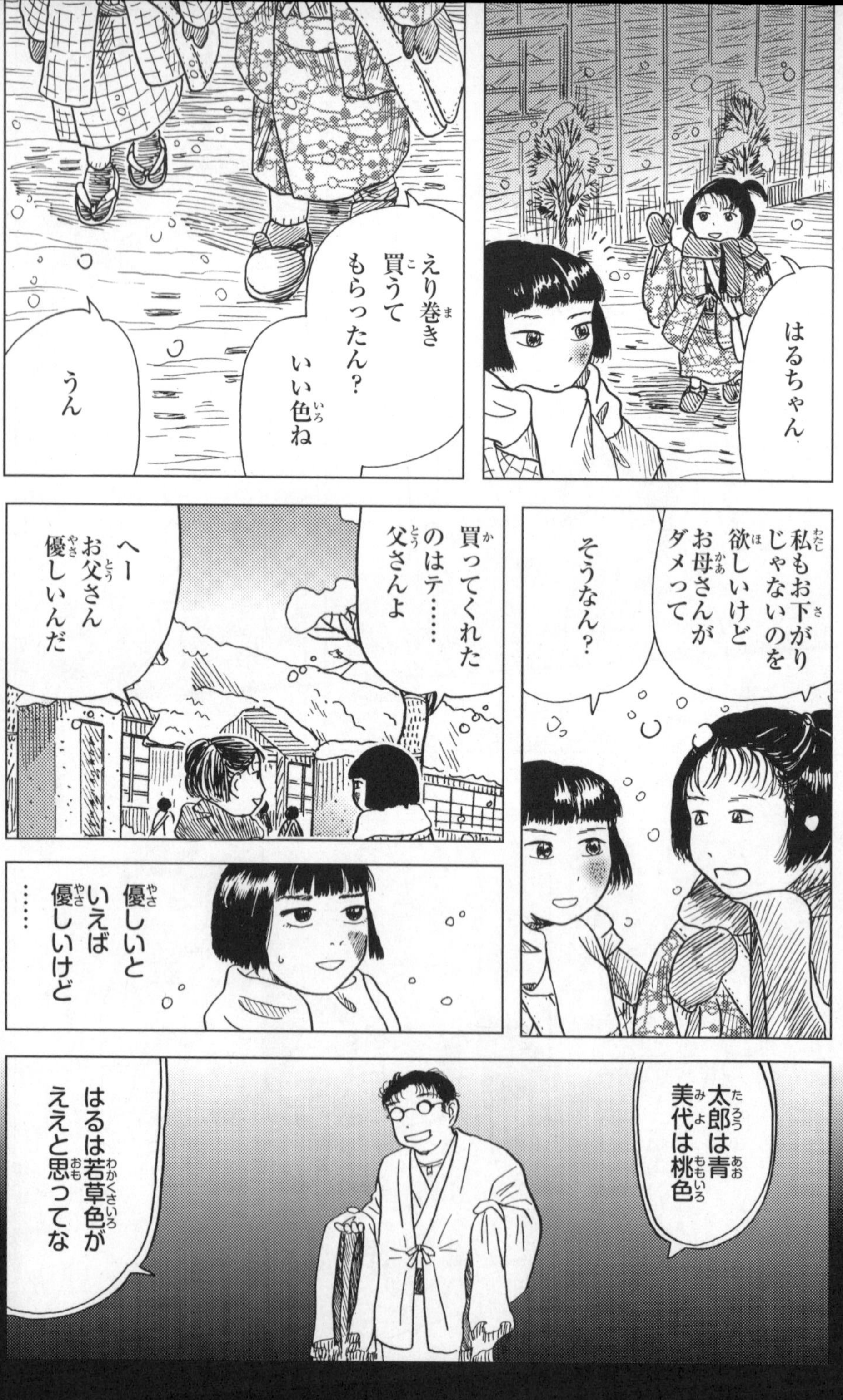
はるちゃん
えり巻《ま》き買《こ》うてもらったん？いい色《いろ》ね
うん
私《わたし》もお下《さ》がりじゃないのを欲《ほ》しいけどお母《かあ》さんがダメって
そうなん？
買《か》ってくれたのはテ……父《とう》さんよ
へーお父《とう》さん優《やさ》しいんだ
優《やさ》しいといえば優《やさ》しいけど……
太郎《たろう》は青《あお》美代《みよ》は桃色《ももいろ》
はるは若草色《わかくさいろ》がええと思《おも》ってな

よかったねえ
はるのは黄色《きいろ》い着物《きもの》にぴったりよ
そうやの黄色《きいろ》と若草色《わかくさいろ》で菜《な》の花《はな》のよう……
はっ
たしか先代《せんだい》の作《つく》った菓子《かし》で
ばっ
菜《な》の花《はな》をかたどったのが——
春の菓子
金沢屋
練《ね》り切《き》り…いや落雁《らくがん》がいいか
それとも最中《もなか》……
……ごはんにしよっか
あの人《ひと》は仕事《しごと》のことしか頭《あたま》にないっちゃ
ふぅ…

だんさん
帰《かえ》れっち
どういうこと
ですか
火傷《やけど》やったら
もう
良《よ》うなったし
春《はる》に出《だ》す菓子《かし》の
試作品《しさくひん》がまだ……
その……
テッちゃん
この通《とお》りや
店《みせ》を辞《や》めて
下《くだ》さい

な……
何《なん》でですか⁉
わしの菓子《かし》に何《なん》か――
おでん
あんたの菓子《かし》に非《ひ》はない
かんにんしてな
お客《きゃく》さん もうしまうで 早《は》よ帰《かえ》り
……おお
すまんのっ

わしの菓子《かし》が
店《みせ》に合《あ》わんの
ですか?
悪《わる》いとこは
直《なお》しますから
そうやない!
テツには
ほんまによう
働《はたら》いてもろた
いずれは
のれん分《わ》けとまで
考《かんが》えとった
は————…
それがまさか
こんなことに
なるとは

他《ほか》の病気《びょうき》なら 治《なお》せばええ
しかし これだけは あかん
とくに 食《く》い物商売《ものしょうばい》は
菓子作《かしづく》り いうんは
手洗《てあら》いに 始《はじ》まり 手洗《てあら》いに 終《お》わる
お前《まえ》の病気《びょうき》が 世間《せけん》に知《し》れたら
うちは商《あきな》いに なれへんのや
よその店《みせ》でも 同《おな》じこと
菓子《かし》一筋《ひとすじ》のお前《まえ》に こんなこと 言《い》うんは酷《こく》やけど

菓子《かし》は
あきらめて
病院《びょういん》に入院《にゅういん》した
方《ほう》がええ
ドシャッ
ドシャッ
はぁ…
銀太郎《ぎんたろう》さん
……わしは
あんまり
幸《しあわ》せで
罰《ばち》が
当《あ》たったんかね

第《だい》11話《わ》　はるの発病《はつびょう》

あたしかて人《ひと》のこと言《い》えへんけどさ
何《なん》でそないに毛嫌《けぎら》いするん？
家族《かぞく》やのに
家族《かぞく》だからこそ
父《ちち》と姉《あね》のことは
他人《たにん》にはわからない
あれは私《わたし》が学校《がっこう》にあがる前《まえ》昭《しょう》和《わ》九《く》年《ねん》
ワォーーン
ワンワンッ
ガラララ…
あ とうさん
かえってきた！
テツさん
テツさん風邪《かぜ》ひくっちゃ

はる 手伝《てつだ》い!!
げっ
飲《の》めんのに ヘラヘラして 断《ことわ》らんけ
はる！父《とう》さんに そんなん 言《い》ったらいけん
テツさんは店《みせ》の 看板《かんばん》せおった 職人《しょくにん》なんやけ
菓子《かし》を 作《つく》れんのが 辛《つら》いんよ
火傷《やけど》は大《たい》したこと なかったっちゃろ？
何《なん》でずっと 休《やす》んどるん？
クビに なった
ええっ
ドザッ
ぐっ

母《かあ》さん
明日《あした》からどうやって食《た》べていくん?
子供《こども》はそんな心《しん》配《ぱい》せんでいいけ
なんとかなるっちゃ
ぐごー…
ぐごー…
大事《だいじ》な帳面《ちょうめん》出《だ》しっぱなしにしとったらまた太郎《たろう》に落書《らくが》きされるけね
仕事《しごと》のために小倉《こくら》から金沢《かなざわ》まで来《き》たのに
どうするっちゃろ

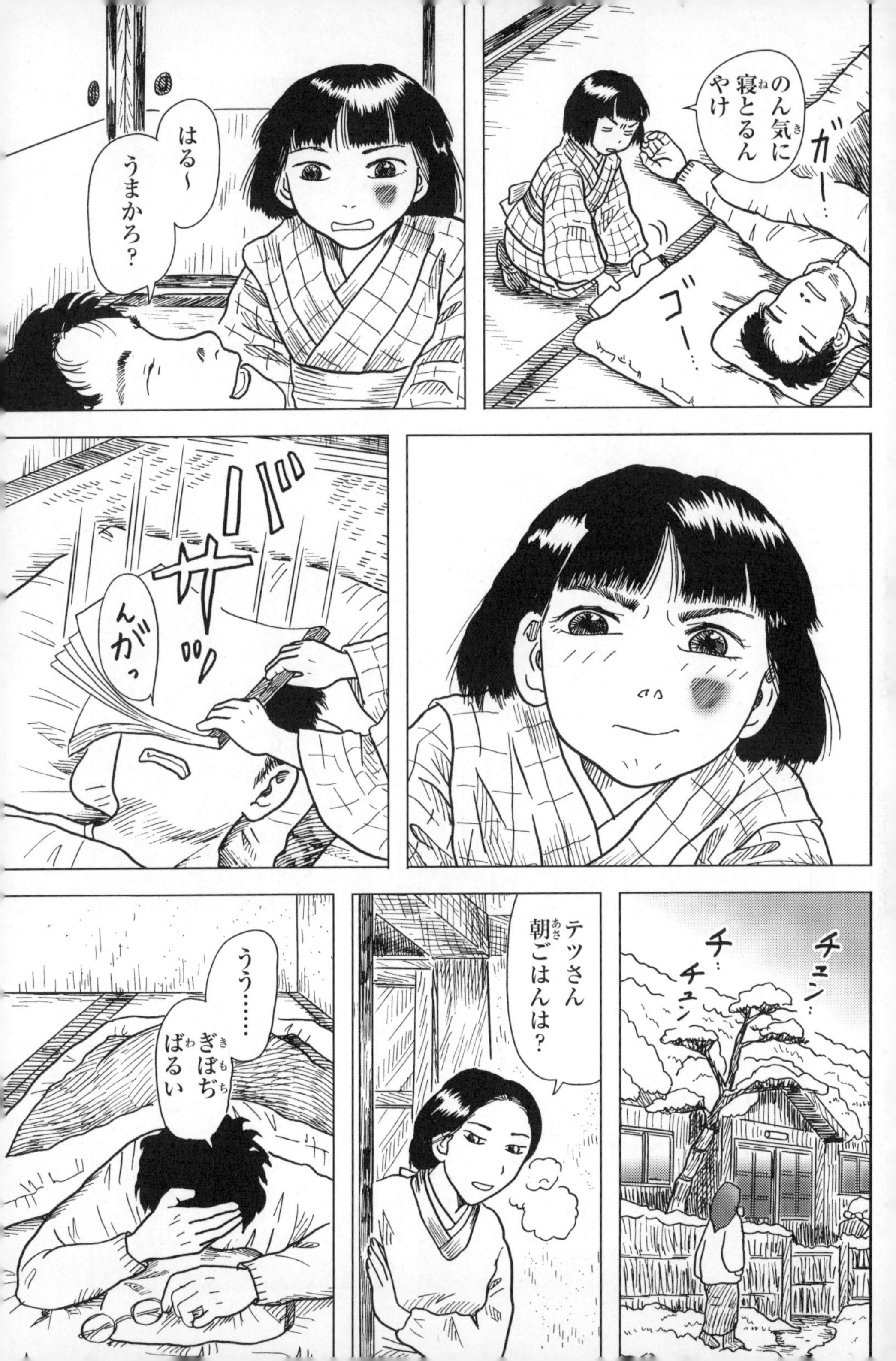
ガー…
のん気《き》に寝《ね》とるんやけ
ゴー…
はる〜
うまかろ？
バサッ
んがっ
チュン…
チ…
チュン
テツさん
朝《あさ》ごはんは？
うう……
ぎ《き》ぼ《も》ぢ《ち》
ば《わ》るい

なっぱのぞうすいやないで
チャプッ
しろいごはんたべたいなあ
美代《みよ》
ぜいたく言《い》うたらいけんっちゃ
やけどさ
……
食《た》べる物《もの》があるだけまだマシやけ
はる
心配《しんぱい》せんでもすぐ仕事《しごと》を見《み》つけるけ
川畑《かわばた》さんおるか？
はーい
こんにちは医師《いし》の三井《みつい》と申《もう》します

何《なん》でうちにお医者《いしゃ》さんとお巡《まわ》りさんが来《く》ると?
さあ……けど学校《がっこう》行《い》くんはちっと待《ま》ってくれって
あの子《こ》らと奥《おく》の間《ま》におっとき
私《わたし》のこしらえた菓子《かし》です どうぞ
いや 結構《けっこう》
川畑鉄次《かわばたてつじ》さん あなたは*「らい」という病気《びょうき》です
私《わたし》が働《はたら》いているらいの療養所《りょうようじょ》に入院《にゅういん》して下《くだ》さい
わ……私《わたし》が
入院《にゅういん》!?

*当時《とうじ》のハンセン病《びょう》の呼《よ》び名《な》。

ピンピンしとりますが
らいは放置《ほうち》すれば必《かなら》ず悪化《あっか》します
治療《ちりょう》しなければ治《なお》りませんよ
らいを治療《ちりょう》できるのは療養所《りょうようじょ》だけです一番近《いちばんちか》くても大阪《おおさか》で少《すこ》し遠《とお》いですが
通《かよ》うわけじゃないから多少遠《たしょうとお》くてもええじゃろ
そんなわけには
……新《あたら》しい勤《つと》め先《さき》も探《さが》さにゃいけんし
アンタの作《つく》る菓子《かし》なんか誰《だれ》も食《く》わへんで
……
菓子《かし》はあきらめて病院《びょういん》に入院《にゅういん》した方《ほう》がええ

とにかく
家族《かぞく》を置《お》いては
行《い》けません
この話《はなし》は
お断《ことわ》りします
チャキッ
貴様《きさま》 断《こと》わられると
思《おも》うんか
やめて
下《くだ》さい
きゃあああ
川畑《かわばた》さんち
どないしたん
さあ さっき
お巡《まわ》りさんが……
父《とう》さん
暴力《ぼうりょく》は
いけません
しかしこいつ
患者《かんじゃ》のくせに
あ

大丈夫《だいじょうぶ》
はる　学校《がっこう》へ行《い》ってき皆勤賞《かいきんしょう》がもらえんくなるけの
待《ま》って下《くだ》さいご家族《かぞく》も全員《ぜんいん》検査《けんさ》を
あっ
え？
この子《こ》も──

父《ちち》に続《つづ》いて姉《あね》もハンセン病《びょう》と診断《しんだん》されすぐに噂《うわさ》が広《ひろ》まり
数日後《すうじつご》姉《あね》が登校《とうこう》した時《とき》には
おはよう
あ……
行《い》こ
学校《がっこう》じゅうに知《し》れ渡《わた》っていた
パチ
パチ
用務員《ようむいん》さん机《つくえ》も——
先生《せんせい》おはようございます
はっ

は……
はるちゃん
会議《かいぎ》がすんだらおうちに伺《うかが》うから
今日《きょう》は休《やす》んで家《いえ》で待《ま》っててくれる？
大事《だいじ》なお話《はなし》があるんよ
何《なん》ですか？
宿題《しゅくだい》の作文《さくぶん》今日《きょう》までなのに
作文《さくぶん》？ ……ああ そうだったわね
作文《さくぶん》は
持《も》って帰《かえ》りなさい
近づけんな
きゃあ やめてよ
どうしたのかしら 騒《さわ》がしいわね

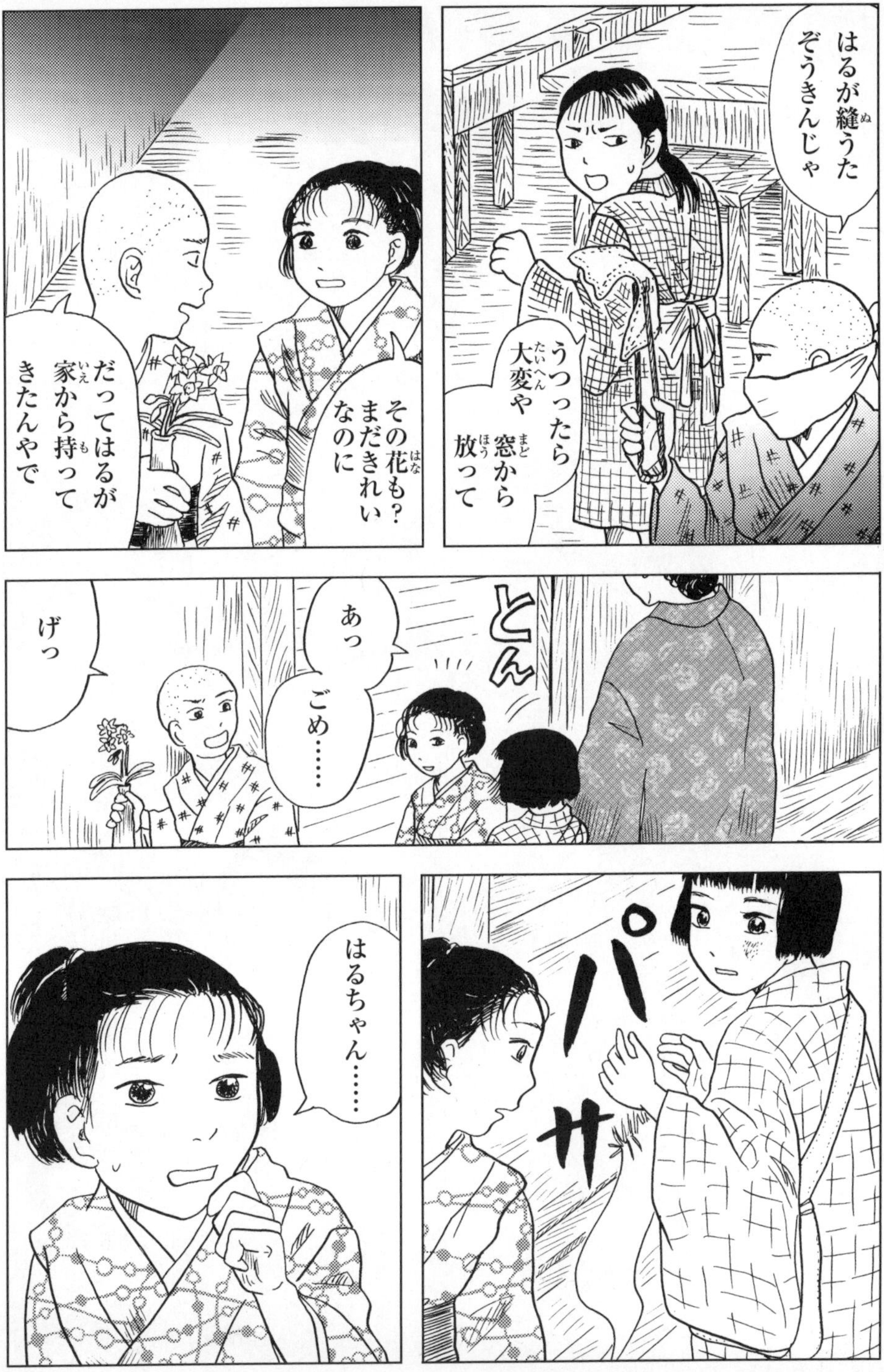
はるが縫《ぬ》うた
ぞうきんじゃ
うつったら
大変《たいへん》や　窓《まど》から
放《ほう》って
その花《はな》も？
まだきれい
なのに
だってはるが
家《いえ》から持《も》って
きたんやで
とん
あっ
ごめ……
げっ
パサ
はるちゃん……

はるが来《き》たっ
キャ
かんにんね
あなたの触《ふ》れた物《もの》は焼《や》き捨《す》てるよう警察《けいさつ》が
私《わたし》は……

ばいきんや ない!
だーっ
はるちゃん
夢《ゆめ》やん
はっ
全部《ぜんぶ》夢《ゆめ》やん!
はっ
はっ
はっ
はっ
何《なん》やろ
変《へん》な においが

シューーッ
シューーッ
シューーッ
ワンッ
ワワワン
トプ
トプ
臭《くさ》いなあ
いつまで隣組《となりぐみ》の井戸《いど》を借《か》りなならんのやろ
シュー…
シュー…
困《こま》るわ ほんま
病気《びょうき》が移《うつ》りでもしたらえらいこっちゃ
早《はや》いこと立《た》ち退《の》いてくれんと——

シュー…
シュー…
シュー…
ガララ…
タンッ!
ゲホ
ゲホ
ゲホッ
あ
ガララ
はる
パサ
はる?

学校《がっこう》で何《なん》かあったん？
病院《びょういん》とか行《い》かん
絶《ぜ》っ対《たい》行《い》かん!!
はる！
タンッ
カタ
カタタ

姉《ねえ》ちゃんも母《かあ》さんも遅《おそ》いねえ
腹減《はらへ》った
そのお手玉《てだま》貸《か》してみい
姉《ねえ》ちゃんの大事《だいじ》なお手玉《てだま》……
あーーっ
パチン
ぱららっ
知《し》ーらんどー知《し》ーらんどー姉《ねえ》ちゃんに言《ゆ》うたーろー
父《とう》さん　消毒《しょうどく》で頭《あたま》おかしくなったん？
フン♪
フン♪

とっておきの砂糖《さとう》を使《つか》おう
置《お》いとっても消毒臭《しょうどくくそ》うなるだけやけ
よし　できた
ぜんざい！
私《わたし》もここに泊《と》まっていいけ？
ゴロロ
ゴロ
ゴロ

はるー
ここに
おったん
母《かあ》さん……私《わたし》
病院《びょういん》とか
行《い》かんけ！
……ずっとここに
おるわけには
いかんやろ
うちへ
帰《かえ》ろう
世《よ》の中《なか》のきまりで
治《なお》るまでわかれて
暮《く》らさなならんの
母《はは》はそう
諭《さと》したとか

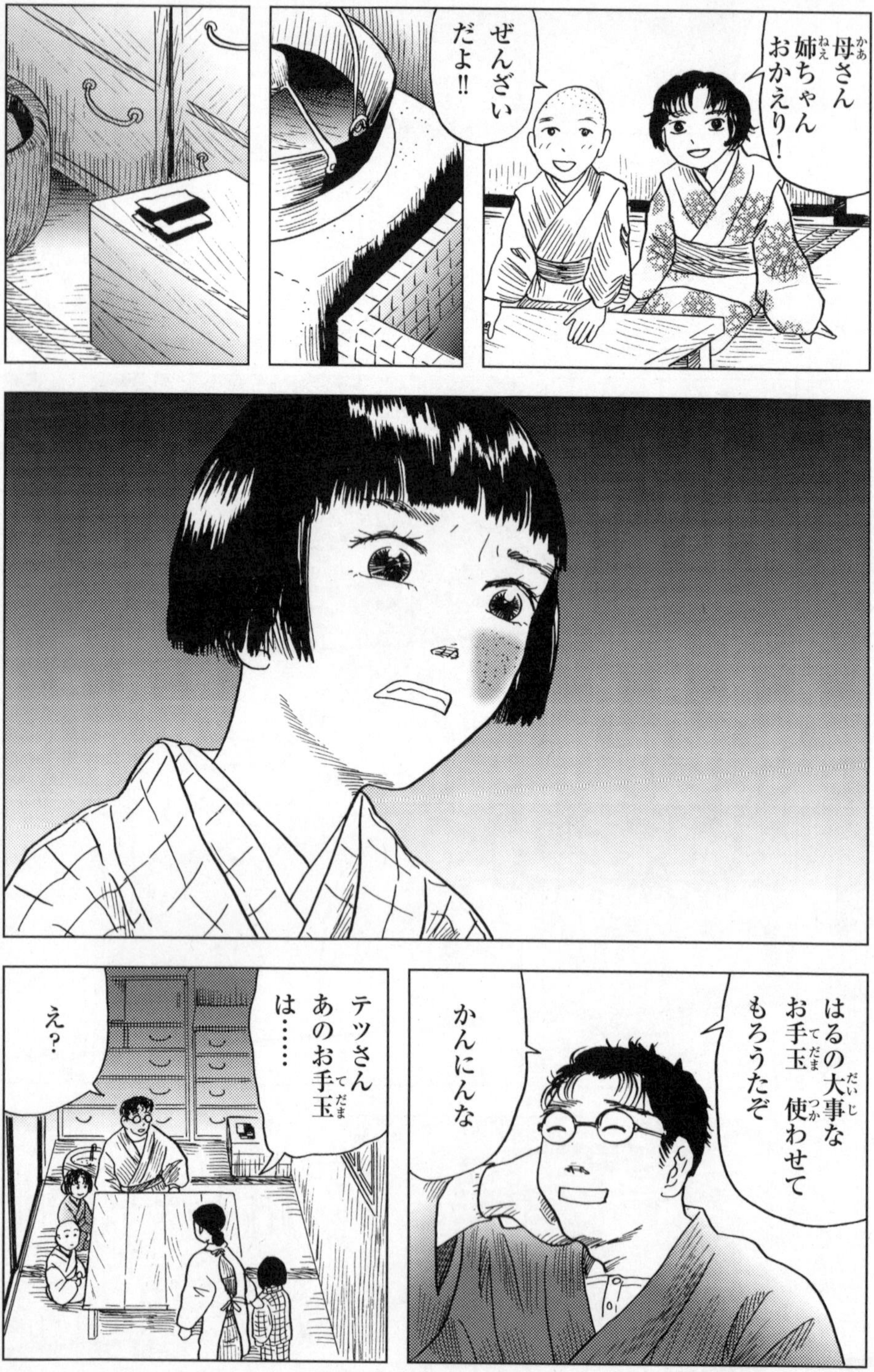
母《かあ》さん 姉《ねえ》ちゃん おかえり！
ぜんざい だよ!!
はるの大事《だいじ》な お手玉《てだま》 使《つか》わせて もろうたぞ
かんにんな
テツさん あのお手玉《てだま》 は……
え？

あの
お手玉《てだま》は
本当《ほんとう》の
父《とう》さんが買《こ》うて
くれたのに
そ……
そうやったんか
はる
すまんかった
お手玉《てだま》の
ことも
病気《びょうき》を移《うつ》した
ことも

皆《みんな》そろっての最後《さいご》の食事《しょくじ》やけ
さ 食《た》べましょう
俺《おれ》はもう菓子《かし》を作《つく》れん
最後《さいご》に作《つく》ったぜんざいを皆《みんな》で食《く》えてよかった
……
周《まわ》りの人達《ひとたち》にこれ以上《いじょう》病気《びょうき》を移《うつ》さんよう
病院《びょういん》へ行《い》こう
テツさんと一緒《いっしょ》だから安心《あんしん》よ
母《かあ》さん達《たち》も落《お》ち着《つ》き先《さき》がみつかったらすぐ連絡《れんらく》するけ
おかわり
僕《ぼく》も

しっかり食《く》えよ元気《げんき》のない時《とき》こそ
好《す》きな物《もの》を食《く》うて元気《げんき》出《だ》さなの
最後《さいご》の食事《しょくじ》という意味《いみ》を
おいしいねー
毎日ぜんざいでもいい
私《わたし》も弟《おとうと》もまだわかっていなかった
翌朝早《よくあさはや》く二人《ふたり》は大阪《おおさか》へ旅立《たびだ》った
シュウウ

……
……じゃっ
行《い》ってくるけ
美代《みよ》お土産《みやげ》お手玉《てだま》がいい！
僕《ぼく》メンコ!!
あんたらわがままばかり言《ゆ》うて母《かあ》さんを困《こま》らせなさんなよ
うん

げん……きで……な……
ボォオオー…
ガタン
タターン。。

これが今生《こんじょう》の
別《わか》れになると
思《おも》いも
しなかった

第《だい》12話《わ》
風《かぜ》と海《うみ》のなか
昭和《しょうわ》九年《くねん》
大阪《おおさか》
外島《そとじま》保養院《ほよういん》での
父《ちち》 川畑鉄次《かわばたてつじ》と
姉《あね》 はるの消息《しょうそく》は
すべて後《のち》に
医師《いし》から聞《き》いた

外島保養院《そとじまほよういん》は
川《かわ》の中洲《なかす》にあり
四方《しほう》2㎞《キロ》以内《いない》に
人家《じんか》はなく
ザク
ザク
ザク
ザク
ピチャ

外《そと》に通《つう》じる道《みち》は敷地《しきち》を囲《かこ》む堤防《ていぼう》の上《うえ》の道《みち》だけ
患者《かんじゃ》が逃《に》げないよう敷地《しきち》の四隅《よすみ》で見張所《みはりじょ》の守衛《しゅえい》が目《め》を光《ひか》らせていた
どうしたんテツさん？
落《お》ちるよ
ビクッ

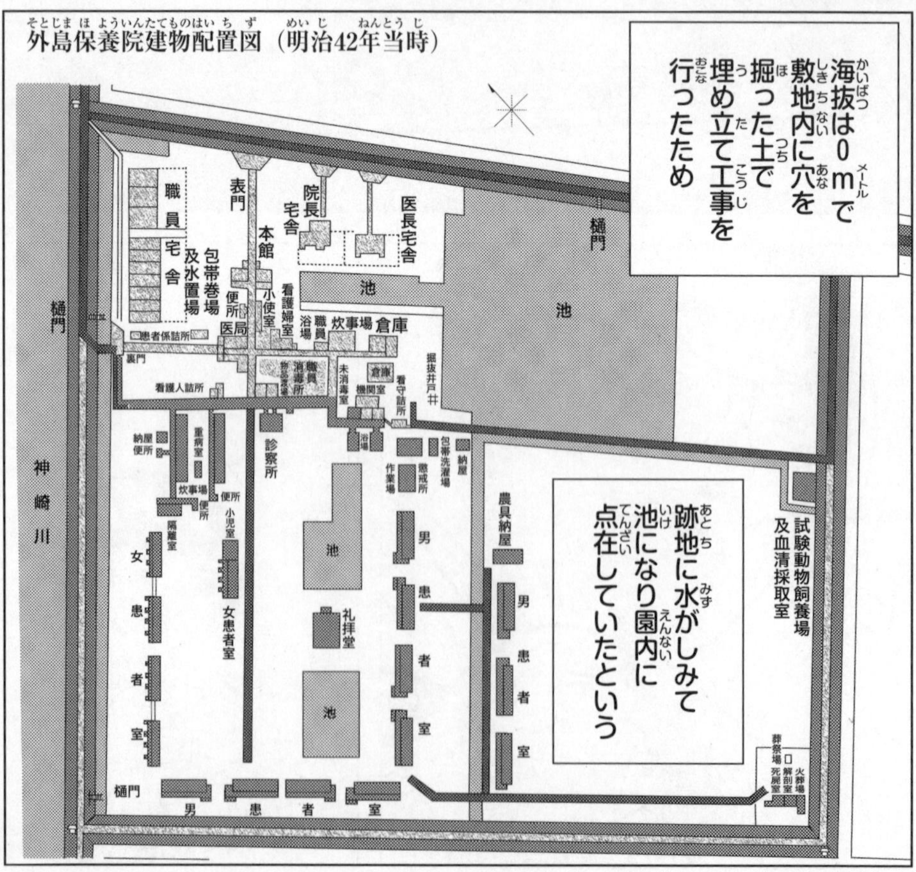

第《だい》1巻前出《かんぜんしゅつ》『隔離《かくり》から解放《かいほう》へ』より作成《さくせい》（次《じ》ページも）。

水没《すいぼつ》の危険《きけん》のあるこの病院《びょういん》をよそへ移《うつ》して拡《ひろ》げる計画《けいかく》があったが
新
淀
川
大阪駅
梅田阪神電車
塚本
野里
姫島
野田
大阪市
神崎川
至神戸
至神戸
至神戸
佃
出来島
初島町
中島町
西島町
布屋町
尼崎市
神崎川
外島保養院
北
東
西
南
大阪湾
省線（国電）
電車
道路
移転予定地《いてんよていち》の住民《じゅうみん》の大反対《だいはんたい》にあい中止《ちゅうし》された
あ
やあ君達《きみたち》！
よく来《き》てくれましたね

そうか
僕《ぼく》です 三井《みつい》です
ほら 収容前《しゅうようまえ》に検診《けんしん》したでしょう
残《のこ》された家族《かぞく》に二人《ふたり》の消息《しょうそく》を知《し》らせたのは当時新任《とうじしんにん》の三井医師《みついいし》だった
りん
はる ＊風鈴《ふうりん》をしまい忘《わす》れとるぞ
のんきな人達《ひとたち》やのう
──
あなた方《がた》は運《うん》がいい
秋《あき》に完成《かんせい》する新《あたら》しい部屋《へや》に入《はい》れるんですよ

＊風鈴《ふうりん》は盲人患者《もうじんかんじゃ》の位置確認《いちかくにん》に用《もち》いられた。

新築《しんちく》っち良《よ》かったのうはる
秋《あき》までおると？
あせらずじっくり
治《なお》しましょう
とーたん！

これこれ 塀《へい》の こちら側《がわ》に来《き》ちゃ ダメだろう
だって とーたん タコがね
しょうが ないなあ さ 帰《かえ》るよ
はーい
おーい 前《まえ》が 見《み》えないぞー
きゃはは…
ぽん
大丈夫《だいじょうぶ》 何《なん》とか なるけ
ザザ…

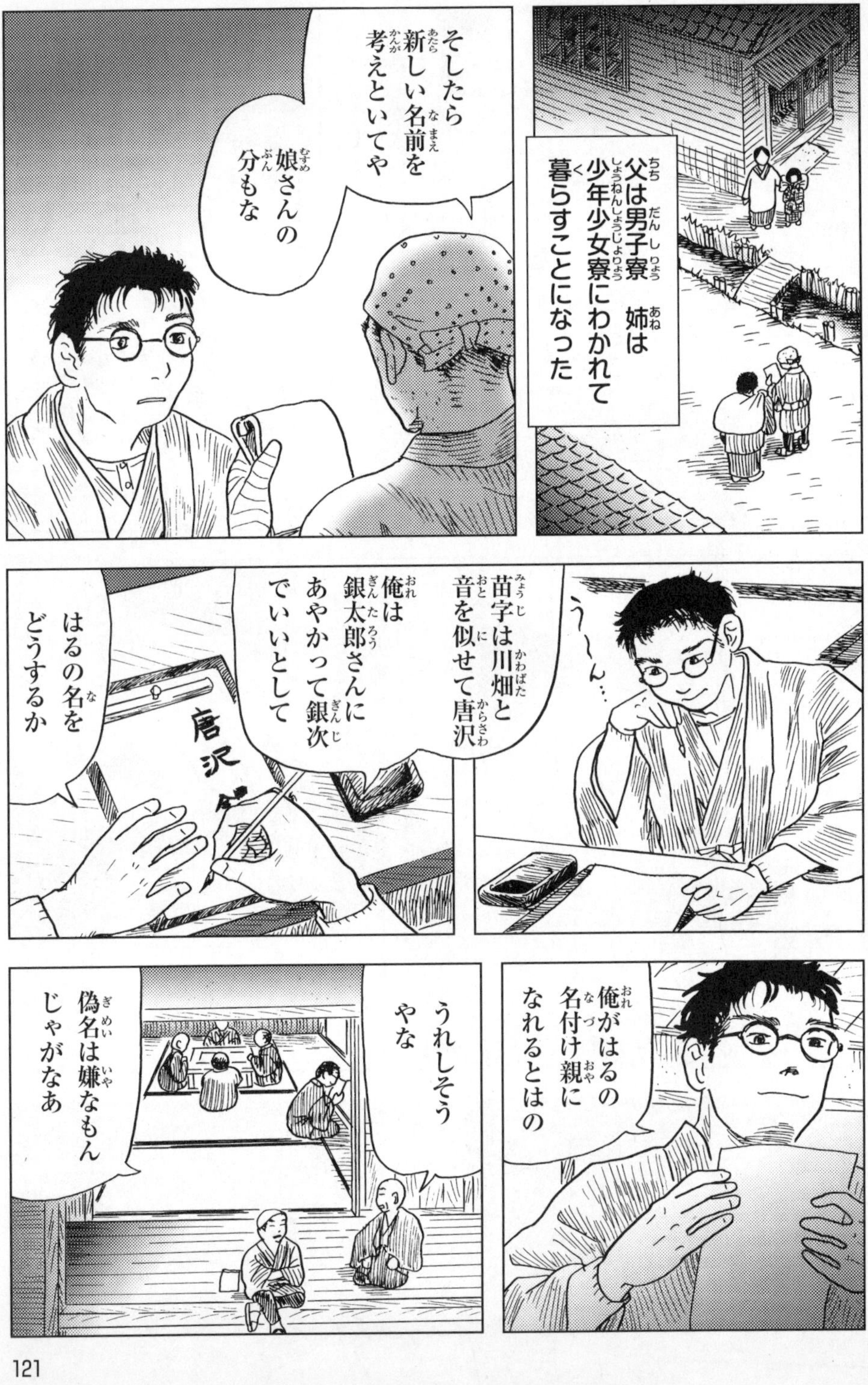
父《ちち》は男子寮《だんしりょう》 姉《あね》は少年少女寮《しょうねんしょうじょりょう》にわかれて暮《く》らすことになった
そしたら新《あたら》しい名前《なまえ》を考《かんが》えといてや
娘《むすめ》さんの分《ぶん》もな
う〜ん…
苗字《みょうじ》は川畑《かわばた》と音《おと》を似《に》せて唐沢《からさわ》
俺《おれ》は銀太郎《ぎんたろう》さんにあやかって銀次《ぎんじ》でいいとして
唐沢
はるの名《な》をどうするか
俺《おれ》がはるの名付《なづ》け親《おや》になれるとはの
うれしそうやな
偽名《ぎめい》は嫌《いや》なもんじゃがなあ

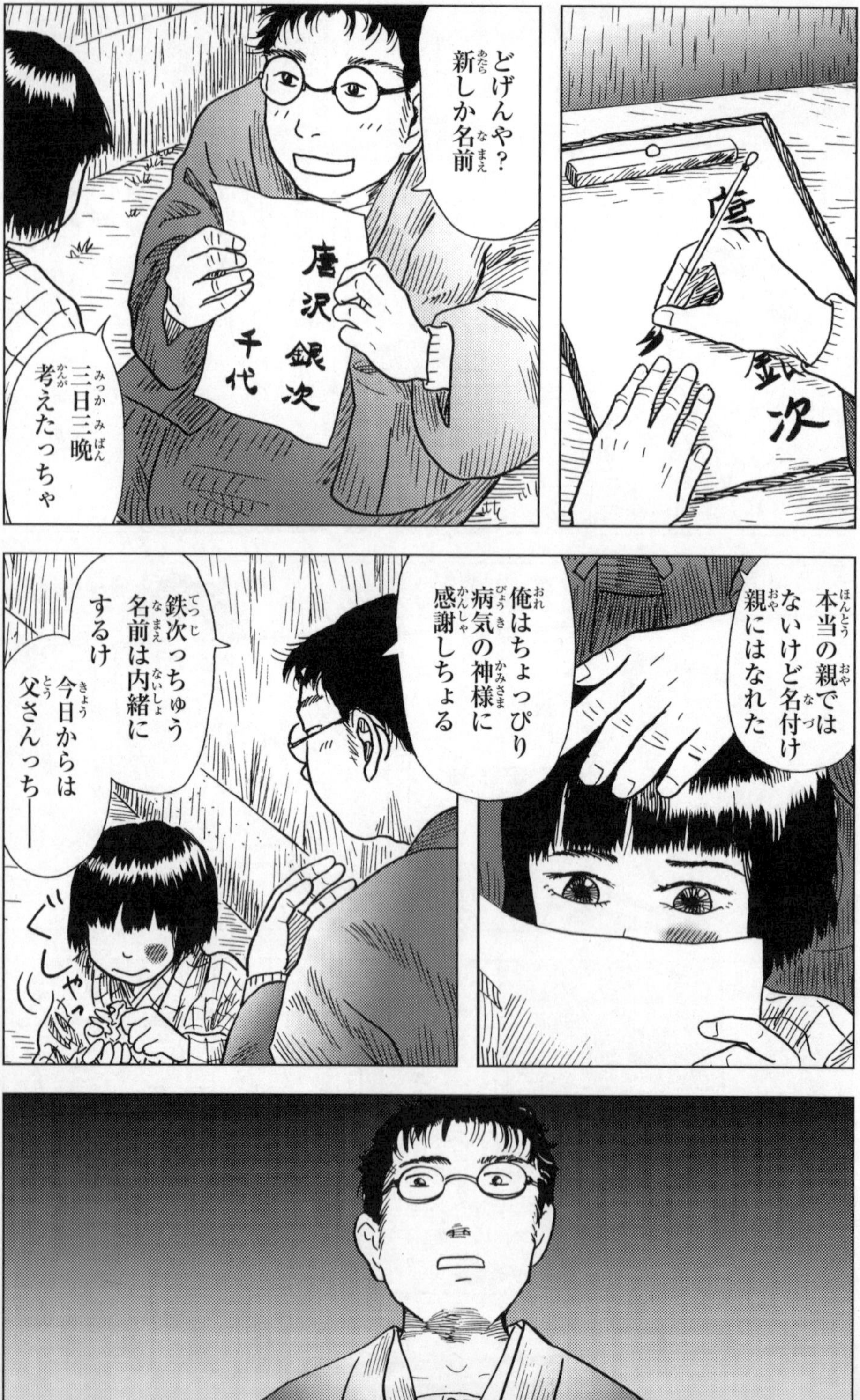
銀
次
どげんや？新《あたら》しか名前《なまえ》
唐沢
銀次
千代
三日《みっか》三晩《みばん》考《かんが》えたっちゃ
本当《ほんとう》の親《おや》ではないけど名付《なづ》け親《おや》にはなれた
俺《おれ》はちょっぴり病気《びょうき》の神様《かみさま》に感謝《かんしゃ》しちょる
鉄次《てつじ》っちゅう名前《なまえ》は内緒《ないしょ》にするけ
今日《きょう》からは父《とう》さんっち——
ぐしゃっ

家族《かぞく》を守《まも》るため新《あたら》しい名前《なまえ》にするのは仕方《しかた》ないけど
テツさんを父《とう》さんとは呼《よ》べんよ
そ そうやの 急《きゅう》に言《い》われても困《こま》るもんのっ
今《いま》すぐやないでもいいけ 待《ま》っとるけね

夏《なつ》が過《す》ぎ
秋《あき》が来《き》ても
父《ちち》と姉《あね》は
外島《そとじま》にいた
ザザザッ
ゴロゴロゴロ…
妙《みょう》な天気《てんき》やのう
唐沢《からさわ》さんよう
台風《たいふう》が来《く》るてラジオが言《い》いよったで
今日《きょう》はもう店《みせ》じまいにせんか
けど彼岸《ひがん》やけお供《そな》えのおはぎ作《つく》らな
アンタほんま菓子一筋《かしひとすじ》やな
ばし
アンタが作《つく》る菓子《かし》なんか誰《だれ》も食《く》わへんで

まさか病院《びょういん》に来《き》て菓子《かし》を作《つく》れるとはの
そらそうや　けど
患者《かんじゃ》を働《はたら》かす病院《びょういん》なんか療養所《りょうようじょ》の他《ほか》にあるかいな
はは…
一日《いちにち》働《はたら》いても豆腐《とうふ》一丁《いっちょう》買《か》えんけどのっ
千代《ちよ》ちゃん
ちーよーちゃん!
え……あ　わたしか
はる……千代《ちよ》やったな
あれ　あんたのお父《とう》さんやて?
何《なん》で今《いま》までだまっとったん
血《ち》はつながっとらんけ
何《なに》　ぜいたく言《い》うとんの

うちらみんな親《おや》きょうだいに会《あ》えへんのやで
ご……
ごめん
謝《あやま》らんといて
よけい腹《はら》たつわ
まって～
はよし～
ガララ
ポツ…
ポツ
ザザー…

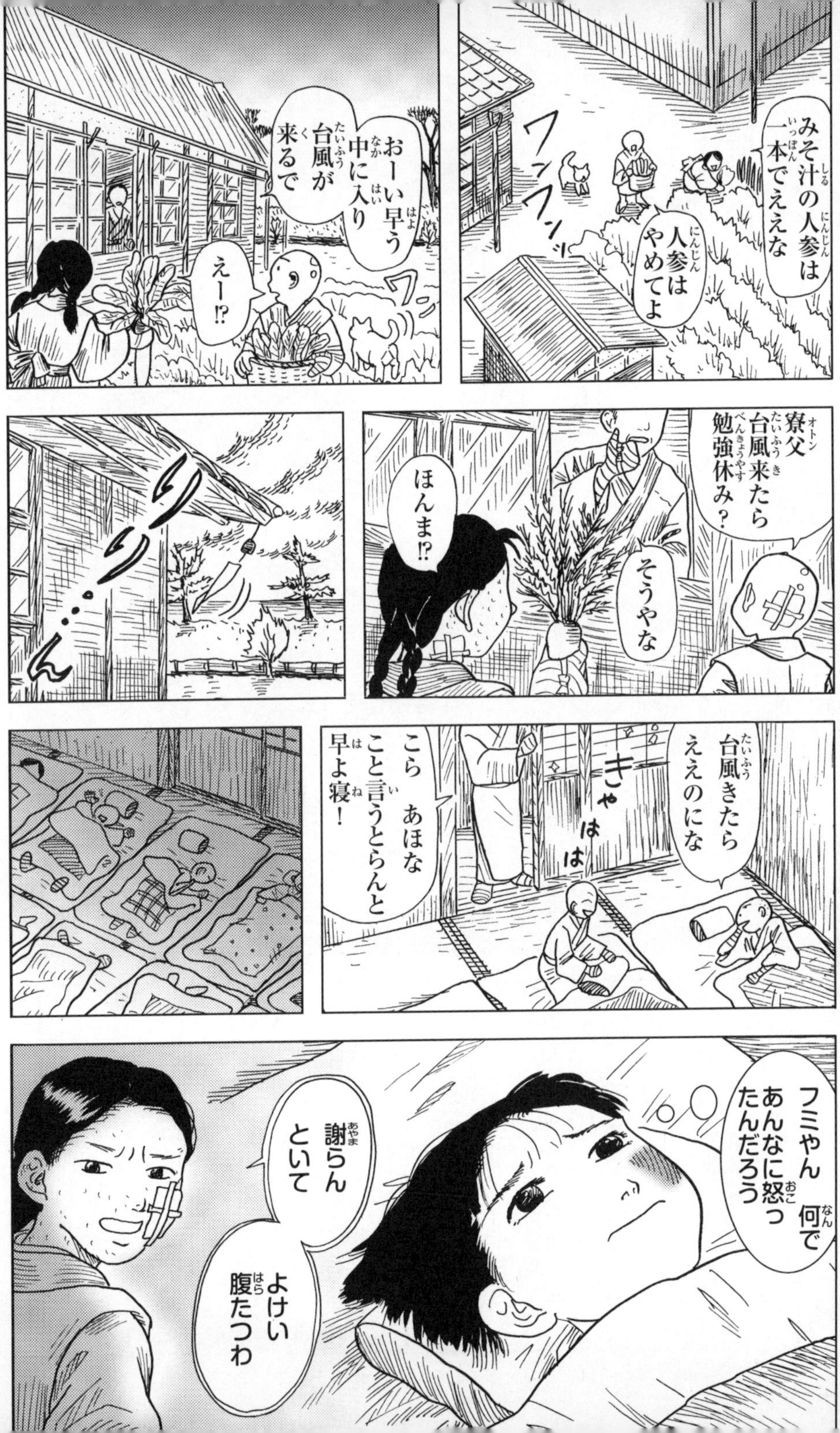
みそ汁《しる》の人参《にんじん》は一本《いっぽん》でええな
人参《にんじん》はやめてよ
ワンワンッ
おーい早《はよ》う中《なか》に入《はい》り台風《たいふう》が来《く》るで
えー!?
ワン
寮父《オトン》台風来《たいふうき》たら勉強休《べんきょうやす》み？
そうやな
ほんま!?
リン…ん
台風《たいふう》きたらええのにな
きゃはは
こら　あほなこと言《い》うとらんと早《は》よ寝《ね》！
フミやん　何《なん》であんなに怒《おこ》ったんだろう
謝《あやま》らんといて
よけい腹《はら》たつわ

ぐすっ
フミやん
バサッ
昭和《しょうわ》九年《くねん》
九月《くがつ》二十一日《にじゅういちにち》
死者《ししゃ》二七〇二人《にん》を
出《だ》した室戸《むろと》台風《たいふう》の
朝《あさ》だった
ビュウウ…
りりん りりりん
ごちそうさまでした
ザァア
フミやん
注射《ちゅうしゃ》
一緒《いっしょ》に
ガタタタ
カタン

ガタ
ガタタ
みしっ
畳《たたみ》を外《はず》せ
窓《まど》を押《お》さえな
建物《たてもの》ごと
壊《こわ》れてまうで
そんな
ビュウウ
ぱりーいん

お母《かあ》さん
お母《かか》さーん
…っく ひっく。
フミやん
ガシャーン
皆《みんな》落《お》ち着《つ》いて外《そと》に出《で》なさい
父《とう》ちゃん
おかあはーん
うわあぁ…
げ 水《みず》!?
バシャ
治療室《ちりょうしつ》へ逃《に》げよう
高潮《たかしお》や水路《すいろ》の水《みず》かさがどんどん増《ま》しよる
治療室《ちりょうしつ》ももうあかん
堤防《ていぼう》にあがれ

守衛《しゅえい》さん通《とお》してくれ
このままじゃ皆《みな》溺《おぼ》れてしまうど
なっならん！患者《かんじゃ》を外《そと》へ出《だ》してはならん決《き》まりだ
俺《おれ》らを見殺《みごろ》しにする気《き》か
はーはー
フミやんどこやろう
こらっ
出《で》たらあかん

はるー
はるー！
はる！ここにおったんか
建物《たてもの》も流《なが》されよるけ 木《き》の上《うえ》の方《ほう》が安全《あんぜん》っちゃ
眼鏡《めがね》なくすといかんけ持《も》っててくれ
え？どこに
むこうにまだ人《ひと》が残《のこ》ってないか見《み》てくる
テツさん
戻《もど》ったら危《あぶ》ないっちゃ

「テッさん」じゃのうて
「父《とう》さん」っち呼《よ》んでくれんかの
いつか父《とう》さんっち呼《よ》んでくれの
約束《やくそく》やけ

ザパッ
ザブ…
水《みず》は午後《ごご》にはひいたが
百七十三名《めい》の患《かん》者《じゃ》が亡《な》くなった
父《ちち》を捜《さが》し歩《ある》いた姉《あね》の足《あし》は
ひょこっ
ザクッ
この時《とき》の傷《きず》が元《もと》で後《のち》に切《き》り落《お》とすことになった
おったぞー
今度《こんど》は子供《こども》や

ザブッ
ふやけとって誰《だれ》やらわからへん
ああ＊返符《へんぷ》が
フミや
うちらみんな
親《おや》きょうだいに会《あ》えんのやで
ガッ
どさっ

＊洗濯《せんたく》ものを持《も》ち主《ぬし》にもどすための名札《なふだ》。

パキ
おーい
千代《ちよ》
お父《とう》さんが
見《み》つかったぞ

ザック
ザック
何《なん》でお線香《せんこう》の匂《にお》いが——
…………
わしからはよう言《い》わんわ小児舎《しょうにしゃ》の先輩《せんぱい》やろ大石君《おおいしくん》頼《たの》むで
しゃあないな
カターン

すまんな棺桶《かんおけ》が間《ま》に合《あ》わへんねん
仏《ほとけ》さんが多《おお》すぎてな

幸せ《しあわ》もんやね わしは こんな いい子《こ》の父親《ちちおや》に なれるんやけ
かあさんが きめたこと やったら しょうがないっちゃ
でもね テツさんは テツさんっちゃ
やけ とうさんとか よばんけね

いつか父《とう》さんっち呼《よ》んでくれのー！
うちらみんな親《おや》きょうだいに会《あ》えへんのやで
生《い》きとるうちにもっとちゃんと優《やさ》しくすればよかったのに—

亡《な》くなった患者《かんじゃ》の遺族《いぞく》で
遺体《いたい》を引《ひ》き取《と》った人《ひと》は一人《ひとり》もいなかったそうです
姉《あね》が亡《な》くなった時《とき》も私達《わたしたち》は遺骨《いこつ》を引《ひ》き取《と》らなかった
千代ちゃんの形見 昭和十八年
なぜだかわかりますか

身内《みうち》が療養所《りょうようじょ》にいること
父《ちち》と姉《あね》がいることすら隠《かく》さなければ生《い》きてこれなかった
今《いま》さら遺品《いひん》など
受《う》け取《と》るわけにはいかないんです

第《だい》13話《わ》　遺品《いひん》

千代《ちよ》ちゃんが
お姉《ねえ》さんが
亡《な》くなって
もう五十三年《ごじゅうさんねん》
そろそろ
帰《かえ》してあげたいんです
ご家族《かぞく》のもとに
家族《かぞく》――
今《いま》さら?
父《ちち》と姉《あね》の存在《そんざい》を
消《け》し去《さ》るために
積《つ》みあげた苦労《くろう》と
塗《ぬ》り重《かさ》ねた嘘《うそ》を
今《いま》さら
なかった事《こと》にしろと?

被災《ひさい》した外島《そとじま》の入院者《にゅういんしゃ》
四百十六人《にん》は全国六ヶ所《ぜんこくろっかしょ》の
療養所《りょうようじょ》に送《おく》られ委託療養《いたくりょうよう》の
日々《ひび》が始《はじ》まった
船《ふね》が出《で》るぞ―― 早《はよ》う渡《わた》れよ――
ぽん
大石君《おおいしくん》 青松園《せいしょうえん》に委託《いたく》された人《ひと》はこれで全部《ぜんぶ》だね
はい

ドッ
ドッ
ドッ
大島《おおしま》でも
がんばれよ
また
会《あ》うまで
元気《げんき》でなー

外島《そとじま》保養院《ほよういん》
ばんざーい
万歳《ばんざい》
万歳《ばんざい》
三井《みつい》先生《せんせい》は
実家《じっか》の産院《さんいん》を
手伝《てつだ》うため
療養所《りょうようじょ》を去《さ》り
姉《あね》の消息《しょうそく》を
知《し》らせる便《たよ》りは
そこで途切《とぎ》れた

姉《あね》が四国《しこく》の療養所《りょうようじょ》へ移《うつ》り消息《しょうそく》が途絶《とだ》えて以来《いらい》
私達家族《わたしたちかぞく》は姉《あね》と父《ちち》の話《はなし》をしなくなった
自分《じぶん》の中《なか》にいる父《ちち》や姉《あね》のことを殺《ころ》してしまわなければ生《い》きてこられなかった
今《いま》さら遺品《いひん》など渡《わた》されても
責《せ》められているようで辛《つら》いばかり
これは千代《ちよ》ちゃんの髪《かみ》の毛《け》
遺髪《いはつ》です

あなたの髪《かみ》は くせっ毛《け》だけど 千代《ちよ》ちゃんの髪《かみ》は まっすぐでした
昭和《しょうわ》十八年《じゅうはちねん》 岡山県長島《おかやまけんながしま》
千代《ちよ》ちゃん 今日《きょう》は 顔色《かおいろ》ええやん
……のう 麦《むぎ》さん
私《わたし》も髪《かみ》を短《みじか》く したいんやけど

そら ええわ!
髪型《かみがた》を変《か》えたら気持《きも》ちも明《あか》るうなるで
千代《ちよ》ちゃんもついにおしゃれに目覚《めざ》め——
いや
寝《ね》たきりで長《なが》い髪《かみ》の手入《てい》れはなかなかできんけ
そ…… そっか
けど うれしいな
千代《ちよ》ちゃんが髪《かみ》を任《まか》せてくれるなんて
人《ひと》の髪《かみ》切《き》るん弟《おとうと》の丸刈《まるが》り以来《いらい》やけど
頭《あたま》ん中《なか》で何度《なんど》も練習《れんしゅう》しとうさかい大丈夫《だいじょうぶ》やで
カチャ
カチャ
そ…… そうなん
フーン フフン♪
フーン フフン

♫♩
♫♩
この歌《うた》
ザザ…
どこかで——
コツ…
コツ…
ええ風《かぜ》やなあ
隣《となり》に座《すわ》ってもええやろか
お構《かま》いなく
グスッ
私《わたし》らは大島《ここ》では居候《いそうろう》やけ

ああ 外島《そとじま》の子《こ》か
台風《たいふう》 大変《たいへん》やったなあ
私《わたし》はマシな方《ほう》っちゃ
かすり傷《きず》で済《す》んだんやけ
強《つよ》がらんでええんやで
よその人《ひと》にはわからんっちゃ
無理《むり》して大人《おとな》びてもわかるわ
私《わたし》にもあんた位《くらい》の子《こ》がおるさかい

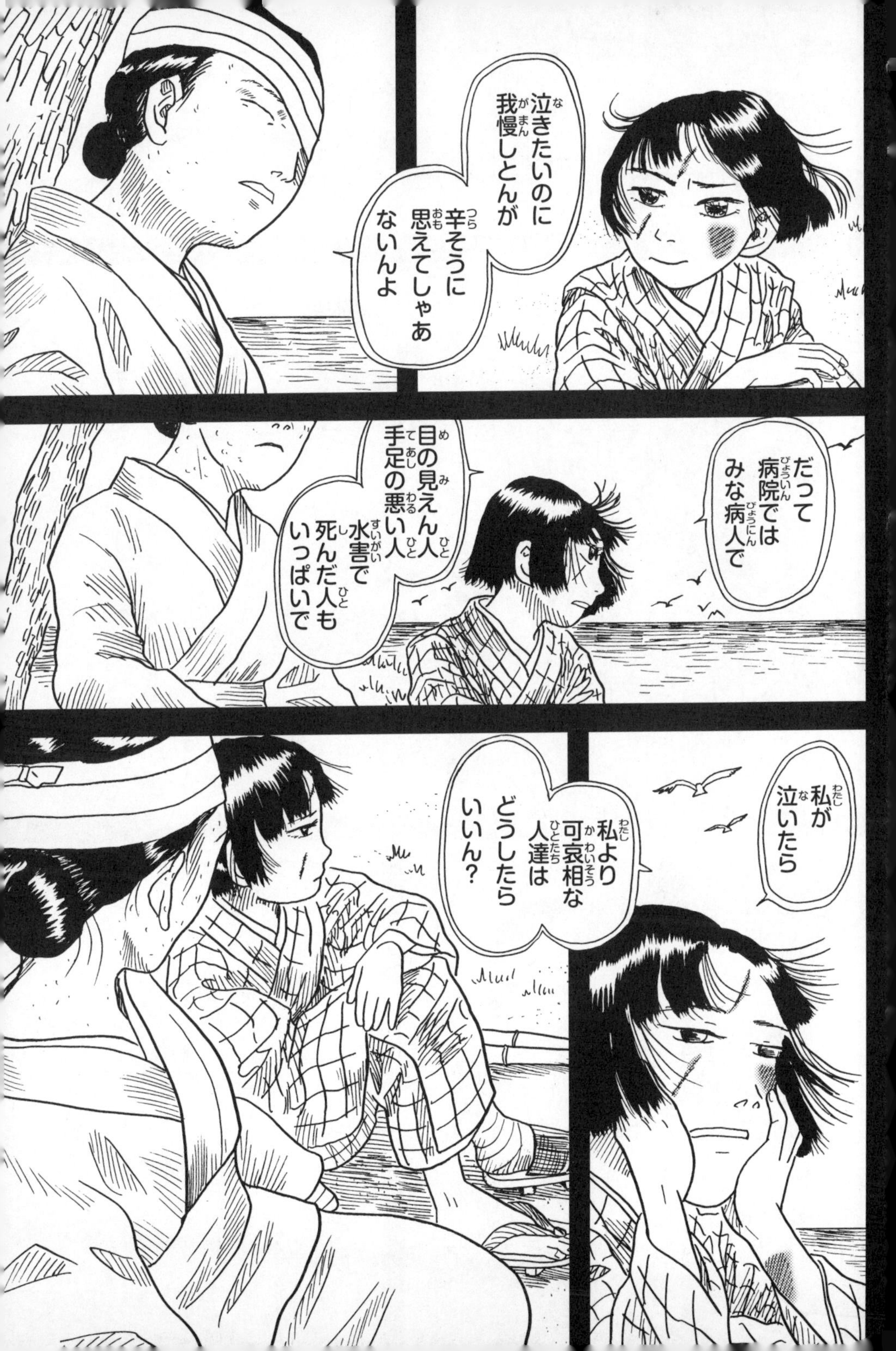
泣《な》きたいのに我慢《がまん》しとんが
辛《つら》そうに思《おも》えてしゃあないんよ
だって病院《びょういん》ではみな病人《びょうにん》で
目《め》の見《み》えん人《ひと》手足《てあし》の悪《わる》い人《ひと》水害《すいがい》で死《し》んだ人《ひと》もいっぱいで
私《わたし》が泣《な》いたら
私《わたし》より可哀相《かわいそう》な人達《ひとたち》はどうしたらいいん?

誰《だれ》が誰《だれ》より幸《しあわ》せか
他人《たにん》にわかるもんやろか
私《わたし》は片腕《かたうで》で目《め》も見《み》えへんけど
人《ひと》が思《おも》うほど不幸《ふこう》やない
気《き》の毒《どく》や言《い》われてもうれしゅうない人《ひと》もおるやろな
そない小《ちい》さいうちからひとの心配《しんぱい》ばっかり
ええ子《こ》やなあんた
親御《おやご》さんもさぞかしあんたに会《あ》いたいやろなあ

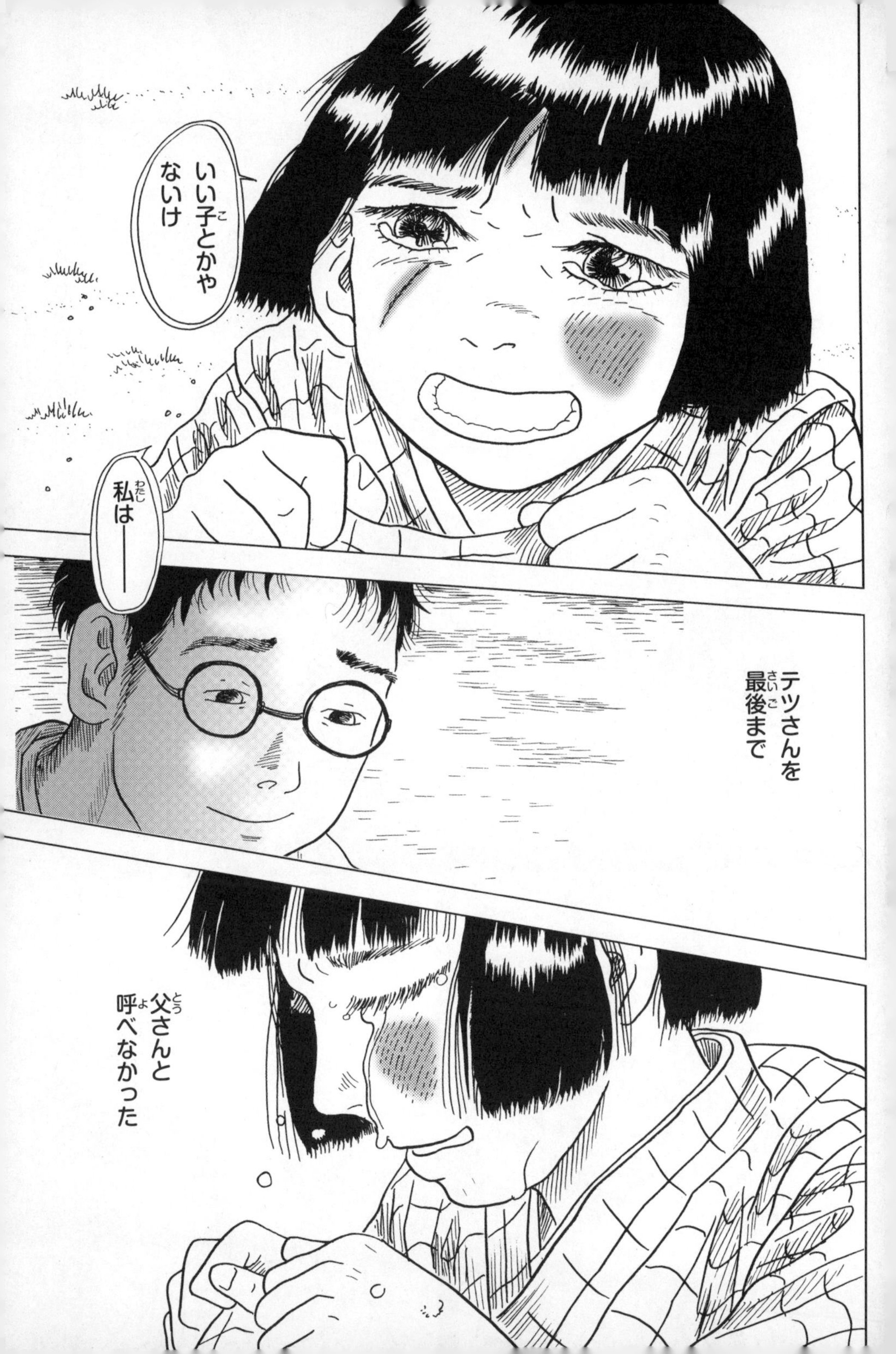
いい子《こ》とかやないけ
私《わたし》は――
テツさんを最後《さいご》まで
父《とう》さんと呼《よ》べなかった

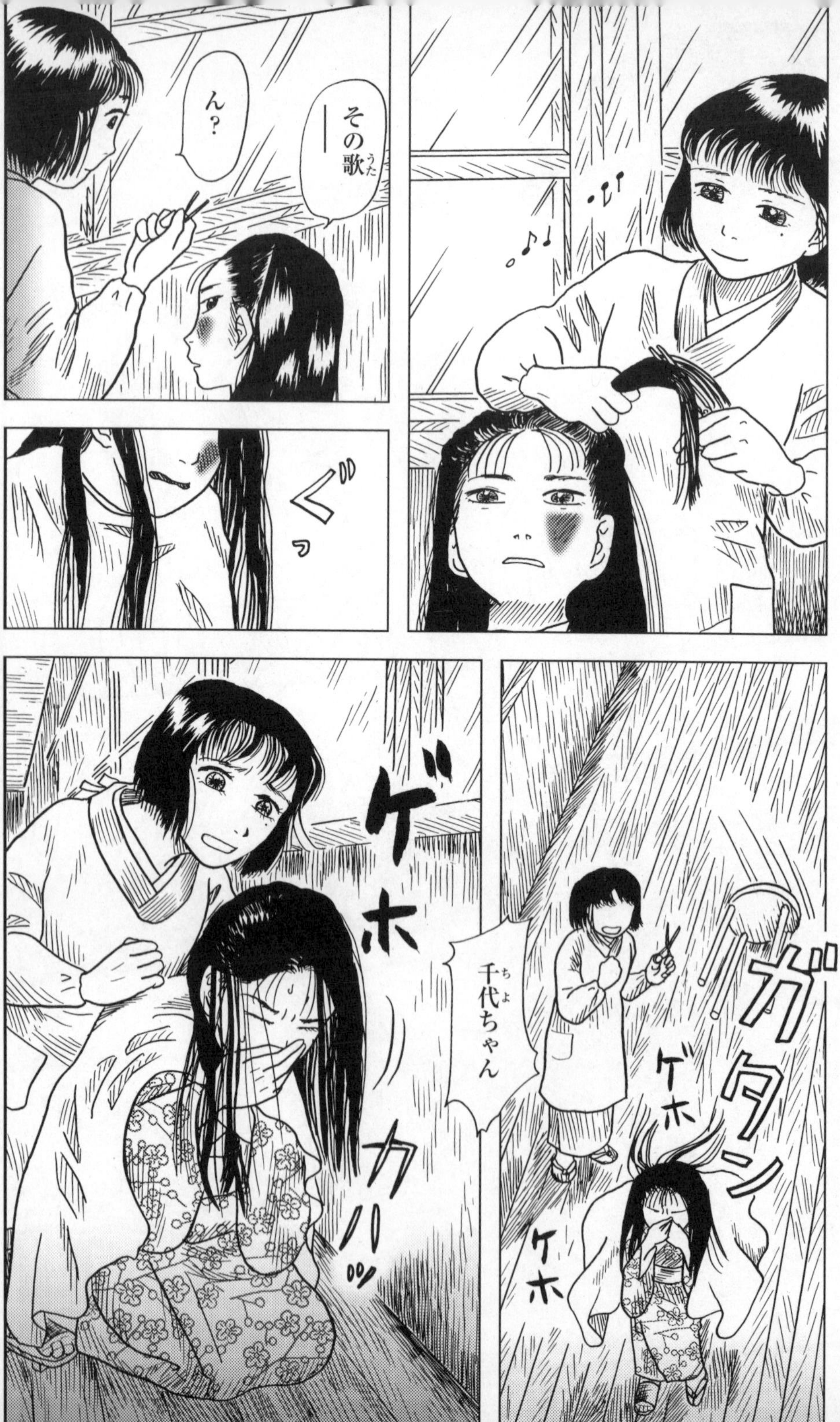
その歌《うた》──
ん？
ぐっ
ガタン
ケホ
ケホ
千代《ちよ》ちゃん
ゲホ
カハッ

今《いま》医局《いきょく》に——
大丈夫《だいじょうぶ》
いつもの発作《ほっさ》やけ
それより早《はよ》う済《す》ませてっちゃ
このままじゃ寝《ね》られんけ

疲《つか》れるやろ
寝《ね》てたらええで
シャキ
シャキ
ん――
あと少《すこ》し
何《なん》か……
そや
ちょっと
待《ま》っとって
炭火《すみび》でコテ
を熱《あつ》くして
回《まわ》しながら
少《すこ》しずつ
冷《さ》まし――
ジジッ
ぅあち
あちっ
できたよ

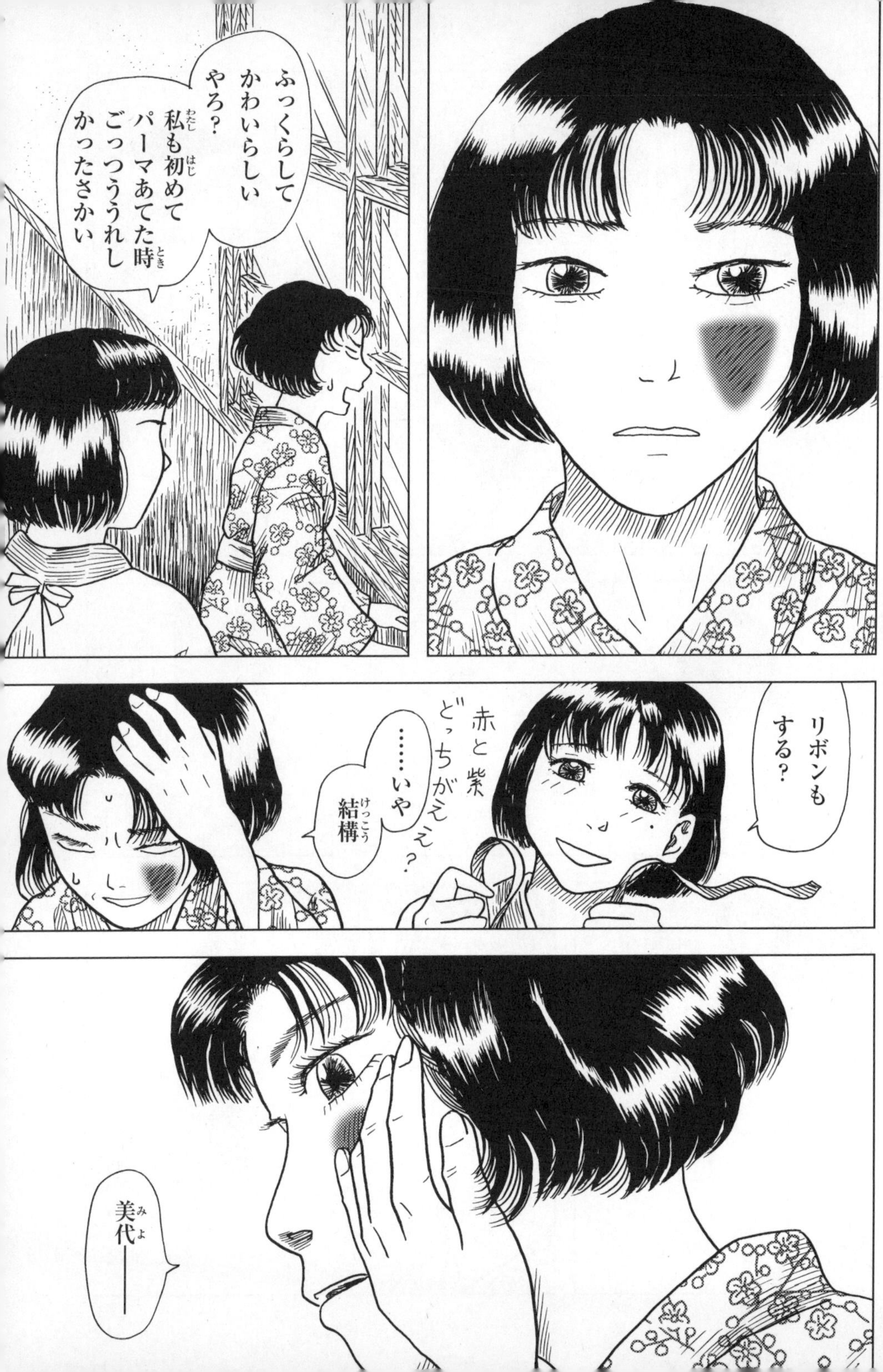
ふっくらして かわいらしい やろ？ 私《わたし》も初《はじ》めて パーマあてた時《とき》 ごっつうれし かったさかい
リボンも する？
赤と紫 どっちがええ？
……いや 結構《けっこう》
美代《みよ》——

え
みよさんって？
いや小学生《しょうがくせい》みたいっちゃ
小学生…
のう麦《むぎ》さん
その髪《かみ》の毛《け》
小倉《こくら》にいる私《わたし》の母親《ははおや》に送《おく》ってくれん？
私《わたし》に何《なん》かあった時《とき》にのっ
いっ……いややわ千代《ちよ》ちゃん
縁起《えんぎ》でもない！

これも一緒《いっしょ》に外島《そとしま》で死《し》んだ父《ちち》の遺品《いひん》っちゃ
お父《とう》さん
……水害《すいがい》で？
けんかしたまま
あやまるひまがなかった

千代《ちよ》ちゃん
また来《く》るからね
弱気《よわき》になったら
あかんで
さっきの話《はなし》
頼《たの》んだけ
受《う》け取《と》って
くれるか
わからん
けど
ザザ
はっ
はっ
はっ

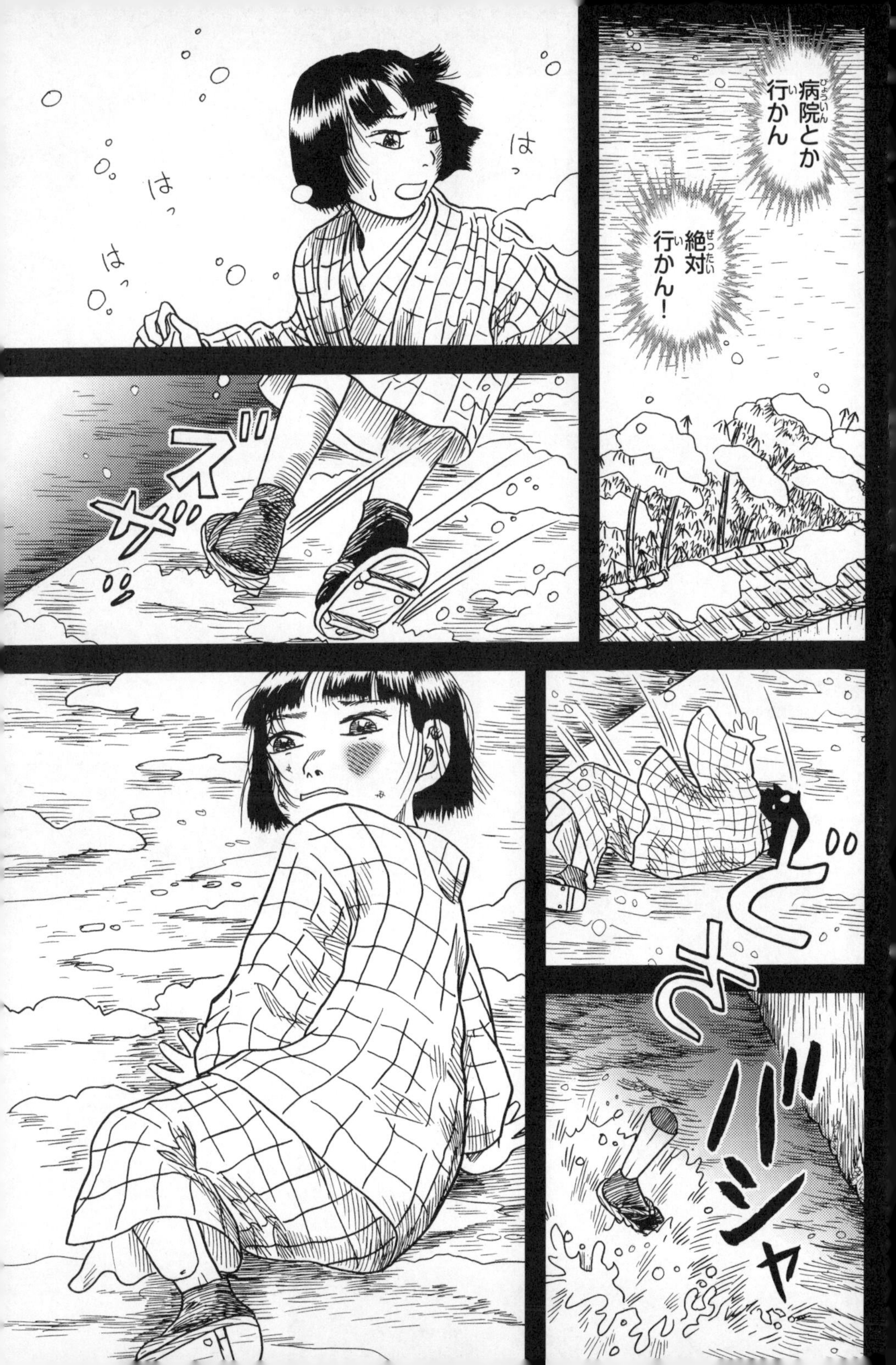
病院《びょういん》とか
行《い》かん
絶対《ぜったい》
行《い》かん!
はっ
はっ
はっ
ズザザ
どさ
バシャ

幸《しあわ》せもんやね
俺《おれ》は
こんないい子《こ》の父親《ちちおや》になれるんやけ
今《いま》すぐやないでもいいけ
待《ま》っとるけね
父《とう》さんっち
呼《よ》んでくれんかの
ゴボッ

痛《いた》たっ
千代《ちよ》ちゃん恐《こわ》い夢《ゆめ》でも見《み》た？
ぽん
ぽん

また お粥《かゆ》さん 残《のこ》しとん
何《なに》か 食《た》べたい物《もの》 ないのん？
のど通《とお》らん でもな 好《す》きな物《もの》の こと考《かんが》え とったら 元気《げんき》出《で》るで
元気《げんき》のない 時《とき》こそ
好《す》きな物《もの》を食《く》うて 元気《げんき》出《だ》さなの

ぜんざいかね
ぜんざいな
わかった
作《つく》ったことないけど
明日《あした》きっと持《も》ってくるわ
……ムリせんでいいっちゃ
そや これ持《も》っとき
私《わたし》がおらん間《あいだ》淋《さび》しないように
言《ゆ》うたやん
子供扱《こどもあつか》いするなっち

母《はは》の形見《かたみ》なんやで
私《わたし》が十歳《じゅっさい》の時《とき》蒸発《じょうはつ》したきり
生《い》きとうかどうかもわかれへん

捨《す》てられへんかった
忘《わす》れられとうかも知《し》れへんのにね
忘《わす》れとらん
きっと

ぐすっ
おやすみ
大丈夫《だいじょうぶ》？
麦《むぎ》ばあ
……うん
年《とし》とると涙《なみだ》もろうなるね

髪《かみ》を短《みじか》くして コテをあてた 自分《じぶん》を見《み》て
千代《ちよ》ちゃんは 言《い》うたんです
「美代《みよ》」って
すごく うれしそうに
美代《みよ》さんの くせっ毛《け》を見《み》て 分《わ》かりました
あなたに そっくり だったのよ

千代《ちよ》ちゃんはあなた方《がた》が大好《だいす》きで
ずっとずっと会《あ》いたかったんですよ

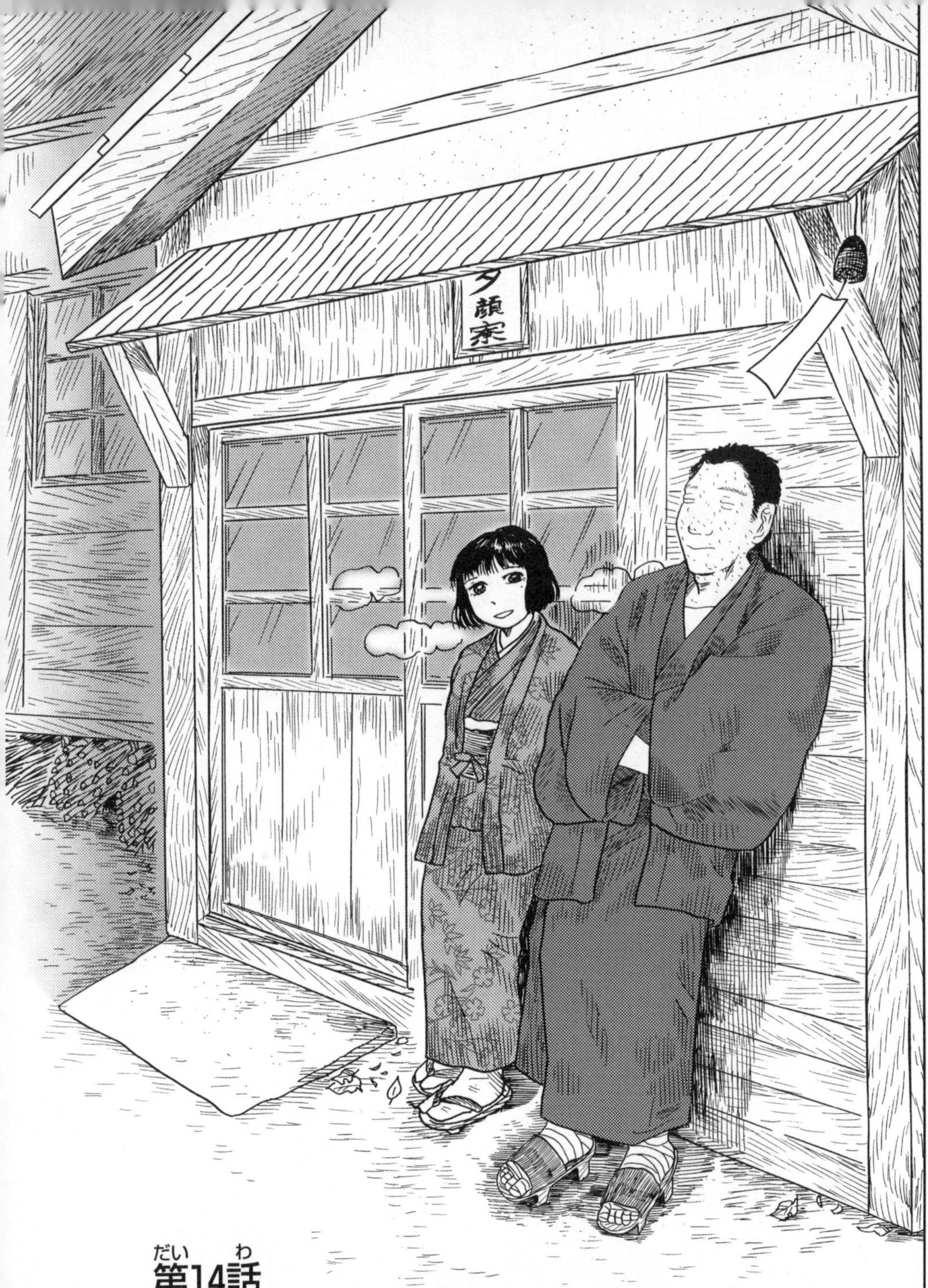

第《だい》14話《わ》
麦《むぎ》の結婚《けっこん》

麦
聡子《さとこ》ちゃん
遅《おそ》うまで
ひきとめて
ごめんな
ええけど
あたし
邪魔《じゃま》や
なかった？
そないな
こと
聡子《さとこ》ちゃんが
おらなんだら
けんかに
なってたかも
知《し》れへんわ
シュボッ
姫路駅前
プシュウウ…
聡子《さとこ》ちゃん
おうちの人《ひと》に
たまには顔《かお》を
見《み》せたげてな

いつか言《い》おうと思《おも》うてても
死《し》ぬまで言《い》えへんこともあるんやで
千代《ちよ》や麦《むぎ》みたいにな

ブォォ…
聡子《さとこ》ちゃんって恵子《けいこ》さんの若《わか》い頃《ころ》そっくりやで
コツ…
コツ…
そおか？生意気《なまいき》やん
若《わか》いってええなあ
キラキラしとう
私《わたし》らにもあんな頃《ころ》があったんやな
ザザー…
昭和《しょうわ》十八年《じゅうはちねん》
岡山県長島《おかやまけんながしま》
上原麦《うえはらむぎ》さんあてね
ああこれだ

麦《むぎ》へ
お元気《げんき》ですか
病院《びょういん》ではいかが
おすごしですか
私《わたし》は仕立《した》て物《もの》の
内職《ないしょく》で何《なん》とか
食《た》べて行《い》けてます
実《みのる》は大阪《おおさか》の
木炭問屋《もくたんどんや》で
住《す》み込《こ》みで
働《はたら》いています
あの頼《たよ》りな
かった
末《すえ》っ子《こ》が
*薮入《やぶい》りで帰《かえ》ると
一人前《いちにんまえ》の口《くち》をきく
ようになりました
会《あ》ってゆっくり
話《はな》したいので
近々《ちかぢか》そちらに
参《まい》ります
昭和《しょうわ》十八年《じゅうはちねん》
十一月《じゅういちがつ》二十日《はつか》
ヨネ
ザザー

*正月《しょうがつ》、盆《ぼん》の16日前後《にちぜんご》に、若《わか》い奉公人《ほうこうにん》が休《やす》みをもらって実家《じっか》へ帰《かえ》ること。

お姉《ねえ》ちゃあん
麦《むぎ》!
麦《むぎ》 元気《げんき》やった?
うん
知《し》らせをもろてびっくりしたわ

この人《ひと》……
大石《おおいし》さんと
結婚《けっこん》したいの
お……大石《おおいし》
了太《りょうた》です
こちらからご挨拶《あいさつ》に
伺《うかが》わなあかんのに
すんません
外出許可《がいしゅつきょか》は
簡単《かんたん》には
降《お》りひんねん
身内《みうち》の葬式《そうしき》
でもないとね
……そんなところで
暮《く》らしとんやな
麦《むぎ》の選《えら》んだ人《ひと》なら
反対《はんたい》せんよ
お幸《しあわ》せにな
婚礼祝《こんれいいわ》いを
持《も》ってきたんよ

ふわっ
産着《うぶぎ》
私《わたし》の浴衣《ゆかた》を仕立《した》て直《なお》したんよ
あんたは縫《ぬ》い物《もの》が苦手《にがて》やもん
赤《あか》ちゃんができてから縫《ぬ》うても間《ま》に合《あ》わんやろ？
お姉《ねえ》ちゃん

おおきに
……ねえ 実《みのる》ちゃんは？
ちゃんと働《はたら》きよん？
今《いま》——ちょっと忙《いそが》しいんやて
そういえば國夫君《くにおくん》 出征《しゅっせい》が決《き》まったで
え……
あんた仲良《なかよ》かったもんなあ
と 隣《となり》の幼《おさな》ななじみ
小《ちい》さい頃《ころ》の話《はなし》よ！

バンザーイ
バンザーイ
千人針《せんにんばり》をお願《ねが》いします
女《おんな》の人《ひと》は一針《ひとはり》ずつ刺《さ》したって下《くだ》さい
そこの奥《おく》さんもお願《ねが》いします
倅《せがれ》が無事《ぶじ》戻《もど》れるよう縫《ぬ》うたって下《くだ》さい！
おかん やめてんか 恥《は》ずかしい
何《なに》を言《い》うねん國夫《くにお》！
千人《せんにん》の女《おんな》の人《ひと》が玉結《たまむす》びした布《ぬの》を腰《こし》に巻《ま》けば
タマが逃《に》げて行《い》くんやで
俺《おれ》はそんな物《もの》に頼《たよ》らへんで
お父《とう》さんはそれでも撃《う》たれて死《し》んだやんか

あの　私《わたし》も
やりましょうか
おおきに
さ
ここに
大日本婦人会
ばっ
ヨネさんや
ないの
何《なん》であんたが
手《て》え出《だ》すん
汚《きた》い手《て》えで
さわらんといて

ザアァァ……
なんぼ手《て》が足《た》りひんかて 誰《だれ》が病人《びょうにん》の出《で》た家《いえ》の者《もの》に頼《たの》むかいな
縁起《えんぎ》でもない
ヨネ姉《ねえ》 今《いま》の会社《かいしゃ》には姉《あね》はヨネ一人《ひとり》やと言《い》うてある
……
実《みのる》…… 何《なん》で
何《なん》でそんな嘘《うそ》を
バシャ
あのことがバレたらまたクビや

麦姉《むぎねえ》とは金輪際《こんりんざい》縁《えん》を切《き》る
その住所《じゅうしょ》絶対《ぜったい》に教《おし》えんといて
必勝 大日本
武運長久
徴兵検査 甲種合格
勝利
徴兵検査《ちょうへいけんさ》でもし俺《おれ》もあの病気《びょうき》やと言《い》われたら
噂《うわさ》になる前《まえ》に自決《じけつ》する

……
ほな　そろそろおいとまするわ
えっ
宿泊所《しゅくはくじょ》に泊《と》まらへんのですか
また会《あ》う日《ひ》まで
元気《げんき》でな
ザザ…
ええ景色《けしき》やね
ずっと見《み》とったら飽《あ》きますけどね
カサ…

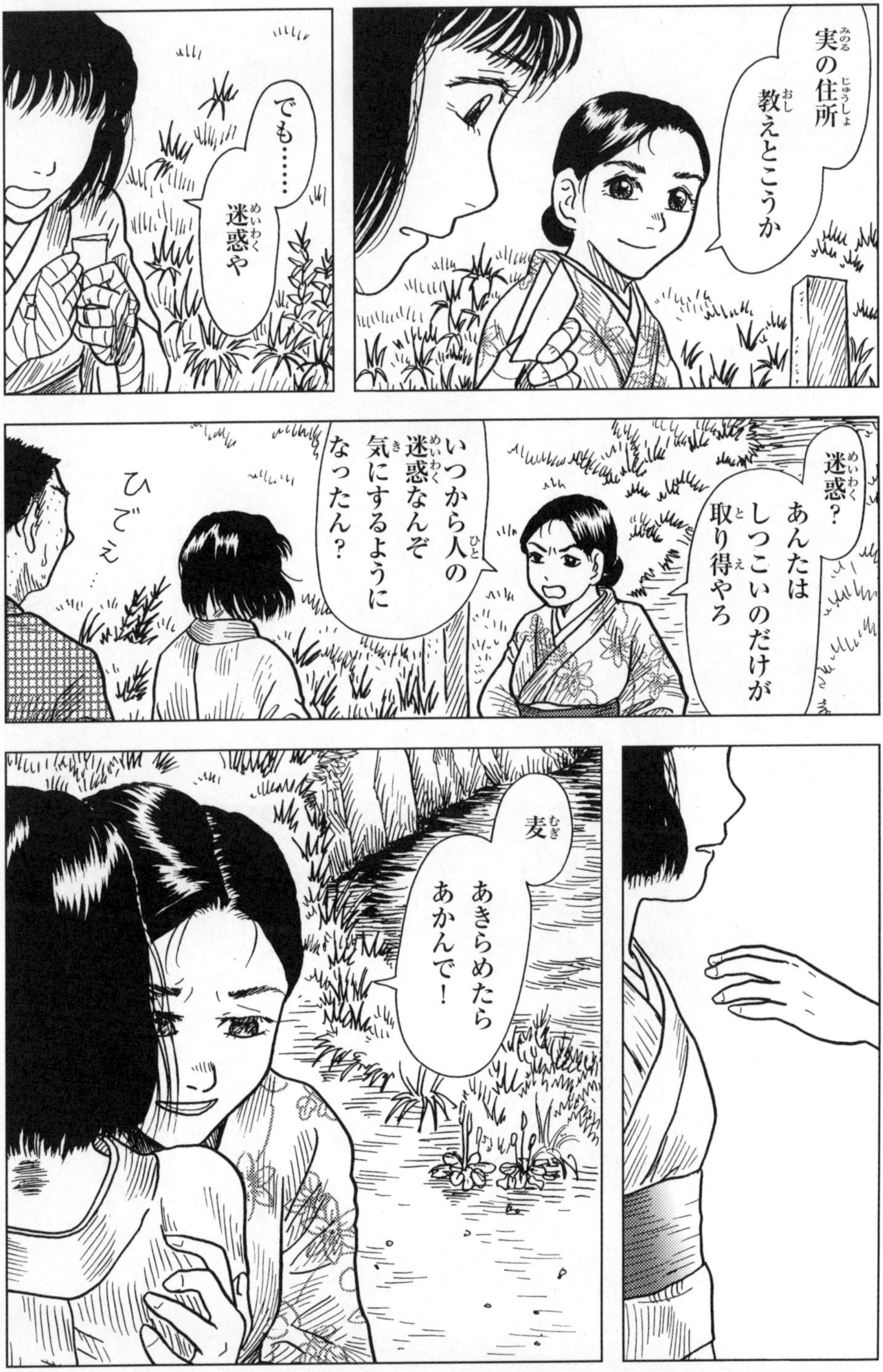
実《みのる》の住所《じゅうしょ》 教《おし》えとこうか
でも…… 迷惑《めいわく》や
迷惑《めいわく》？ あんたは しつこいのだけが 取《と》り得《え》やろ
いつから人《ひと》の 迷惑《めいわく》なんぞ 気《き》にするように なったん？
ひでぇ…
麦《むぎ》
あきらめたら あかんで！

気休《きやす》め言《い》わんといて
ここでは美容師《びようし》にはなれへんし
子供《こども》も育《そだ》てられへん
どんなに願《ねが》っても
この病気《びょうき》にかかったらあきらめなあかんねん

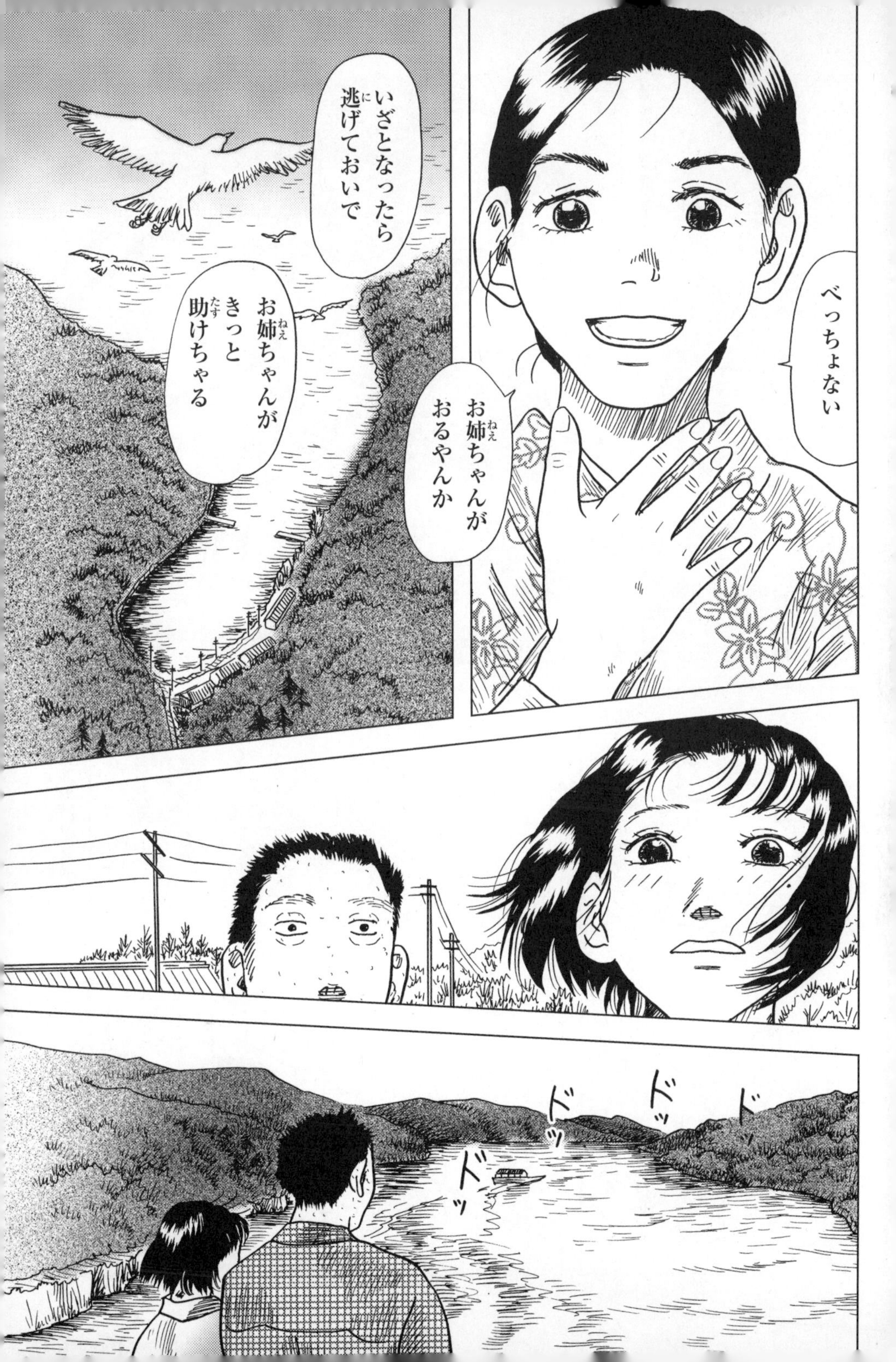
べっちょない
お姉《ねえ》ちゃんがおるやんか
いざとなったら逃《に》げておいで
お姉《ねえ》ちゃんがきっと助《たす》けちゃる
ドッ
ドッ
ドッ
ドッ

お姉《ねえ》ちゃん 昔《むかし》は ごっつう意地悪《いじわる》 やったのに
いつから優《やさ》しく なったんやろ

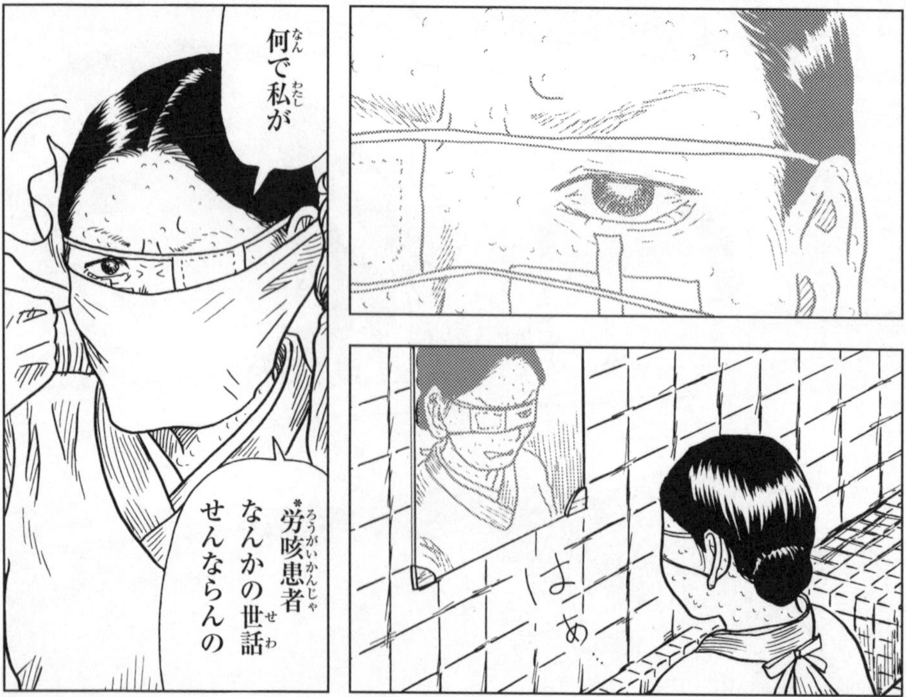
はあ…
何《なん》で私《わたし》が
＊労咳患者《ろうがいかんじゃ》 なんかの世話《せわ》 せんならんの

＊結核患者のこと。

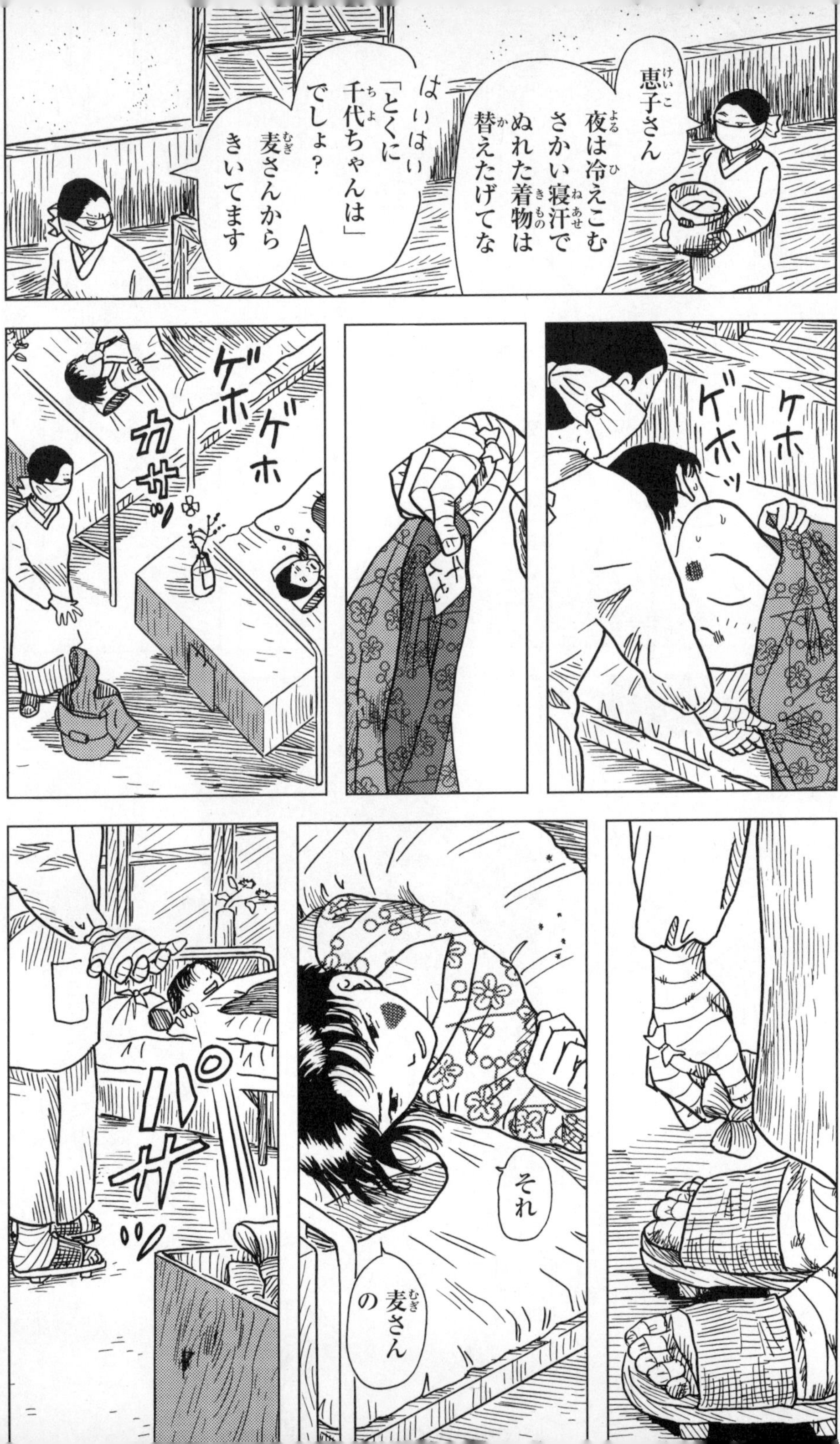

恵子《けいこ》さん
夜《よる》は冷《ひ》えこむ
さかい寝汗《ねあせ》で
ぬれた着物《きもの》は
替《か》えたげてな
はいはい
「とくに
千代《ちよ》ちゃんは」
でしょ？
麦《むぎ》さんから
きいてます
ケホ
ゲホッ
ゲホ
ゲホ
カサッ
パサッ
それ
麦《むぎ》さん
の

ゲホ ケホッ
な……
何《なに》しよるん
ケホ
子供《こども》を捨《す》てて
蒸発《じょうはつ》するような
母親《ははおや》
大事《だいじ》に思《おも》うなんて
未練《みれん》がましいわ
ケホ・
親《おや》を大事《だいじ》に
思《おも》ったら
いけんの？
親子《おやこ》の縁《えん》っち
そう簡単《かんたん》に
断《た》ち切《き》れる
もんなん？

フン!
ガタン
ゲホッ
ち……千代《ちよ》さん
大丈夫《だいじょうぶ》?
その頃《ころ》麦《むぎ》は
わははは…
パチパチ
パチパチ
パチパチ
え――…それでは
新郎《しんろう》から一言《ひとこと》

えっと……戦局《せんきょく》も難《むずか》しい中《なか》
お集《あつ》まりいただき恐縮《きょうしゅく》です
こういうご時世《じせい》なんで水《みず》と茶《ちゃ》とぜんざいしかないけどま　楽《たの》しくやって下《くだ》さい
とんだ番狂《ばんくる》わせやったな
全《まった》くや
今度《こんど》は俺《おれ》が嫁《よめ》をもらう番《ばん》やったのに
わははは
まあ飲《の》め大石君《おおいしくん》！
そない水《みず》ばっかり飲《の》めんがな
大石《おおいし》さん私《わたし》ね千代《ちよ》ちゃんにぜんざいを――
おっとスマン
ええて
でも
大石《おおいし》さん♡か
てめ…絶対ワザと
初々《ういうい》しいなチキショー
ワハハ…

カラン
コロン
しかし大石《おおいし》のやつうまくやりおって
わしらより病気《びょうき》が重《おも》いくせにな
カラン
コロン
カラン
ええ事《こと》ばかりでもないで
せやな
分館《ぶんかん》に結婚届《けっこんとどけ》出《だ》してすぐスジ切《ぎ》りや
療養所《りょうようじょ》では結婚《けっこん》は認《みと》められていたが子供《こども》をもつことは許《ゆる》されていなかった
結婚《けっこん》の条件《じょうけん》として男性《だんせい》に断種《だんしゅ》が課《か》せられたり
療養所《りょうようじょ》によっては妊娠《にんしん》が判明《はんめい》してから妻《つま》への堕胎《だたい》と夫《おっと》への断種《だんしゅ》を施《ほどこ》すところがあった
はっ
はっ
カタ
カタタ…
千代《ちよ》ちゃん
はっ
はっ
キイィ
はっ
ぜんざいやで

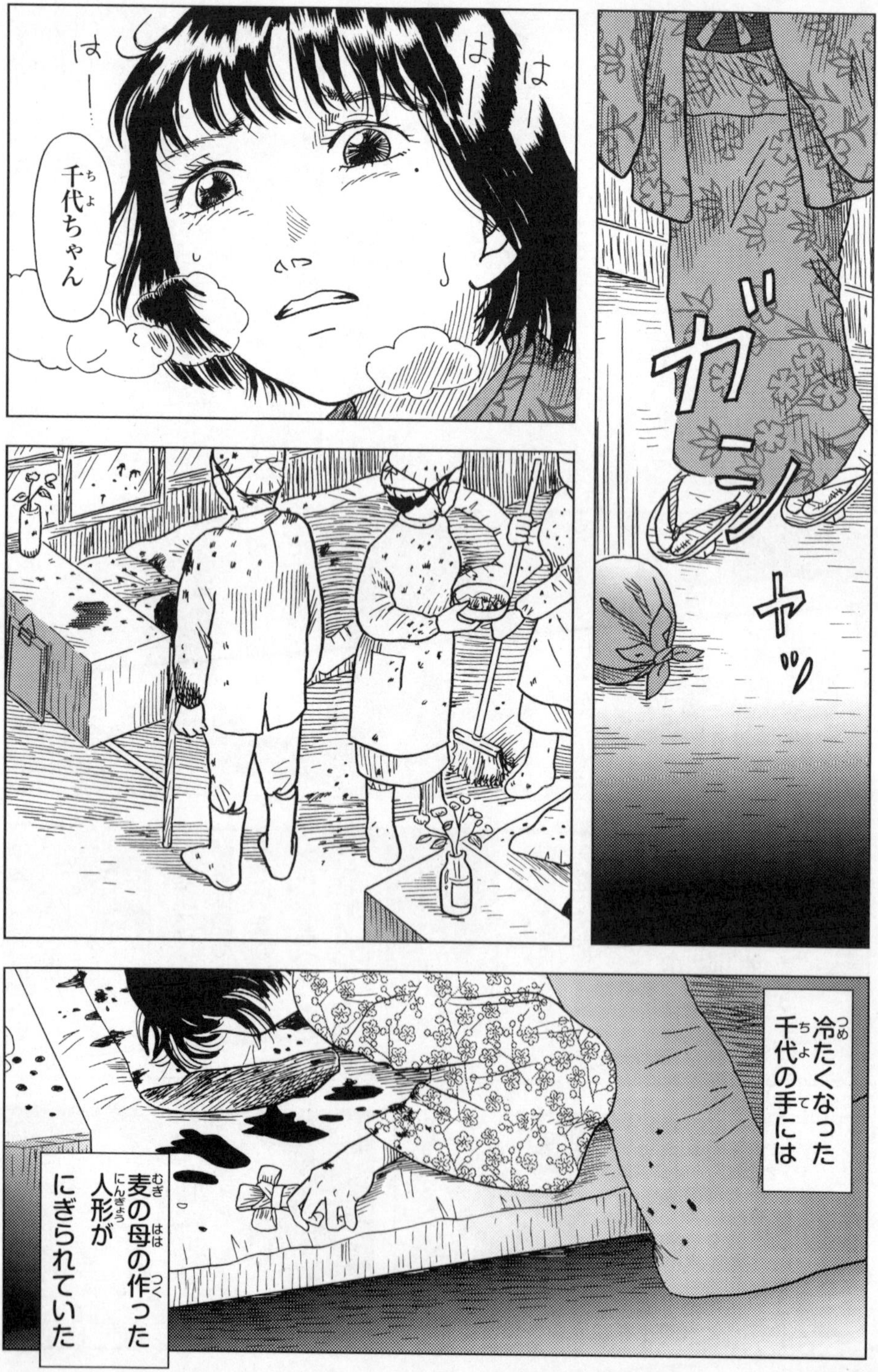

ガシャッ
はー…
千代《ちよ》ちゃん
はー
冷《つめ》たくなった
千代《ちよ》の手《て》には
麦《むぎ》の母《はは》の作《つく》った
人形《にんぎょう》が
にぎられていた

第3巻 目次

麦《むぎ》ばあの島《しま》 第2巻

MUGIBAA no SHIMA

2017年11月15日 第1刷発行

作・画 古林海月

監修 蘭由岐子

発行者 高橋雅人

発行所 株式会社すいれん舎
〒101-0052
東京都千代田区神田小川町3-14-3-601
電話 03-5259-6060
FAX 03-5259-6070

印刷・製本 亜細亜印刷株式会社

装丁 小玉文

企画・編集協力 佐藤健太

編集協力 青木悦郎

日本音楽著作権協会（出） 許諾第1710913-701号

ISBN 978-4-86369-510-8 / 全4巻セット ISBN 978-4-86369-513-9 / Printed in Japan